À l'abordage,
marins
d'eau douce !

Corinne De Vailly

À l'abordage, marins d'eau douce !

Les Éditions Goélette

Graphisme : Marjolaine Pageau et Julie Jodoin Rodriguez
Révision, correction : Patricia Juste, Élyse-Andrée Héroux
Illustrations de la couverture : Julie Jodoin Rodriguez
Autres illustrations : Shutterstock

Dépôt légal : 1er trimestre 2011
Bibliothèque et Archives nationales du Québec
Bibliothèque nationale du Canada

Les Éditions Goélette bénéficient du soutien financier de la SODEC
pour son programme d'aide à l'édition et à la promotion.

Nous remercions le gouvernement du Québec de l'aide financière
accordée par l'entremise du Programme de crédit d'impôt
pour l'édition de livres, administré par la SODEC.

ASSOCIATION
NATIONALE
DES ÉDITEURS
DE LIVRES

Membre de l'Association nationale des éditeurs de livres.

Imprimé au Canada
ISBN : 978-2-89638-889-9

Un merci tout spécial à Chantal Albert pour
les répliques en créole haïtien.

CHAPITRE 1

Un petit vent malicieux s'amuse à faire danser l'épais rideau de la fenêtre, dans la salle de classe. Devant le grand tableau noir, monsieur Graham Haire, le professeur de français, gesticule et postillonne. Mais Joffrey, l'esprit ailleurs, fixe le rideau.

« Demain, c'est samedi ! se dit-il. C'est congé ! »

Le rideau s'est entortillé sur lui-même et se débat pour reprendre sa position normale, mais rien à faire, le vent est trop malin.

« On dirait une cape ! Tiens, tiens ! Ça, c'est une idée : on pourrait aller rendre visite aux Mousquetaires », songe le garçon, le regard perdu.

– Joffrey, j'espère que mes explications ne dérangent pas trop tes rêveries !

La voix de monsieur Haire fait sursauter Joffrey. Du regard, le garçon cherche l'aide de son ami Morgan, mais celui-ci a l'air très absorbé, le nez planté dans son livre.

– Pourrais-tu me donner le titre d'un des plus célèbres romans de Robert Louis Stevenson ? demande Graham Haire, aspergeant du même coup de postillons le visage de Jenny, assise devant lui.

– Euh… bien ! Je crois que c'est… euh…, bafouille Joffrey, les yeux rivés sur Morgan.

Les lèvres de ce dernier articulent silencieuse-ment des mots incompréhensibles. Joffrey tend le cou, se dandine sur sa chaise ; son nez remue et il grimace. Il ne comprend rien. La classe éclate de rire.

– Puisque *L'île au trésor* semble te faire une si étrange impression, tu me feras un résumé des deux premiers chapitres pour la semaine prochaine, conclut Graham Haire en reposant son bouquin d'un geste sec.

C'est à ce moment-là que la cloche tant attendue retentit dans toute l'école. Des portes claquent, des rires éclatent, des voix retentissent… Ouf ! c'est la fin de semaine !

Morgan s'approche de Joffrey, alors que les autres élèves se bousculent vers la sortie.

– Alors, capitaine, *L'Île au trésor* ne te dit rien ? lui lance-t-il en prenant une voix éraillée et en se mettant à boiter, comme s'il avait une jambe de bois.

– Bien sûr que si ! rétorque Joffrey, qui finit de ranger ses affaires. J'étais juste en train de me demander ce qu'on pourrait bien faire cette fin de semaine avec Fée Des Bêtises.

– Malheureusement, rien ! réplique Morgan.

– Comment ça, rien ? s'étonne Joffrey, fixant son ami de ses yeux agrandis par des lunettes à verre épais.

– En fin de semaine, toute la famille va chez la cousine de maman, Betty, tu sais, celle qui me pince toujours les joues comme si j'avais deux ans !

– Ah oui ! ta cousine qui donne de gros becs mouillés ! Beurk ! se rappelle Joffrey.

– On n'a pas le choix, ça fait au moins six mois qu'on ne l'a pas vue ! soupire Morgan.

– Ben, tant pis ! On voyagera une autre fois ! D'ailleurs, avec le devoir que m'a donné le professeur sur *L'Île au trésor*, je n'aurai pas le temps de faire autre chose finalement, grogne Joffrey.

Les deux garçons quittent la classe en discutant. Jenny leur fait un signe de la main en s'écriant :

– Je vous téléphone plus tard, j'ai des tas de trucs à vous dire !

Leur copine se précipite vers la sortie de l'école pour retrouver Catherine, sa mère, qui est venue la chercher.

– Allez, salut ! À lundi ! dit Joffrey.

– Ouais ! marmonne Morgan. Bon week-end !

Il s'éloigne un peu, mais revient aussitôt sur ses pas pour demander à son ami :

– Vas-tu voir Fée Des Bêtises en fin de semaine ?

– Sûrement ! Mais ne t'inquiète pas, je vais faire ce devoir, nous n'irons nulle part sans toi ! le rassure Joffrey en lui donnant une vigoureuse claque dans le dos.

– Dis-lui bonjour de ma part ! Dis-lui aussi que je suis désolé, mais je n'ai pas le choix, je dois aller avec mes parents. Dommage ! Et si tu rencontres Long John Silver, méfie-toi !

Morgan part en courant.

– Hein ? Long John Silver ?! C'est qui, celui-là ? crie Joffrey dans le dos de son copain qui tourne déjà le coin de la rue.

Le visage de Morgan réapparaît alors à l'angle du mur d'un édifice.

– Le pirate… dans *L'Île au trésor*! Bye!

Morgan repart en sifflotant.

« Papa et Maman ne seront pas de retour avant 18 h, j'ai le temps d'aller faire un tour à la cabane. Peut-être que Fée Des Bêtises pourra me donner un coup de main pour mon travail » songe Joffrey.

Un instant plus tard, il pousse délicatement la porte de leur refuge. La magicienne est là, assoupie.

« Pouah, qu'elle sent mauvais! » ne peut s'empêcher de penser Joffrey.

– Salut, Fée! Comment était ta journée? crie-t-il très fort pour la tirer de son sommeil.

Un grognement lui répond. Ça lui prend toujours du temps, à Fée Des Bêtises, pour se réveiller. Elle s'étire alors comme un chat, bâille à se décrocher la mâchoire, se gratte bruyamment partout et émerge enfin de son sommeil.

– Ah, c'est toi! fait-elle en s'asseyant sur sa paillasse. T'es tout seul?

Elle regarde tout autour d'elle.

– Oui. Jenny a un cours de gym et Morgan ne peut pas venir ce week-end. Il va chez la cousine Betty.

– Pauvre Morgan ! dit Fée. Il va encore se faire pincer les joues !

– Et recevoir des becs mouillés ! se moque Joffrey.

– Bon, eh bien alors, puisqu'on ne jouera pas ensemble cette fois-ci, je vais aller me balader en ville, moi.

Fée Des Bêtises se lève en se secouant comme pour faire tomber les dernières traces de sommeil qui marquent encore son visage.

– Attends, j'ai un truc à te demander !

Joffrey la retient par la manche usée de sa vieille redingote noire, presque grise à force d'avoir été portée et reportée.

– Connais-tu *L'Île au trésor* de Stevenson ?

– Oh oui, très bien ! Attends un peu !

Fée Des Bêtises semble faire un grand effort de mémoire ; son front se plisse.

– Le jeune garçon du livre, c'est Jim… Jim Hawkins, si mes souvenirs sont bons ! T'as envie de le connaître ? demande-t-elle en faisant un grand sourire complice à Joffrey.

– Hé, c'est une bonne idée, ça! Si je vais rejoindre Hawkins et que je l'aide à déjouer les plans de Long John Silver, je vais me retrouver dans le bouquin de Stevenson, moi aussi! Hé, hé! C'est monsieur Haire qui va faire une drôle de tête, lundi, quand il va poursuivre la lecture de son livre. Fée, t'es géniale!

Joffrey s'approche d'une étagère et prend le coffret qui contient les calepins magiques. Il s'empare du sien et l'ouvre.

– Morgan ne va pas aimer ça! le prévient Fée Des Bêtises.

– Il n'a pas besoin de le savoir!

– Mais tu lui as promis… intervient la magicienne.

– Oui, je sais! C'était pour ne pas qu'il s'inquiète. Toi, reste ici au cas où il reviendrait. Envoie-moi là-bas quelques heures, et tu vas voir le texte que je vais remettre au prof. Il n'aura jamais vu un travail aussi bien documenté. Allez, quoi, sois gentille! Tu veux que j'aie de bonnes notes à l'école, n'est-ce pas? Et puis, il n'y a pas de danger! Tu viendras me rechercher dans… disons trois heures! ajoute-t-il en regardant sa montre. S'il te plaît! la supplie-t-il en tombant à genoux devant elle.

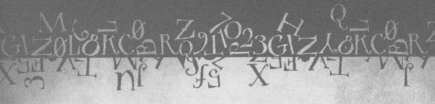

– Bon, d'accord ! dit-elle enfin. Allez, grimpe dans cette malle. Et donne-moi le pluriel de départ d'une fée.

– UNE FÉE... DES SIENNES* ! s'exclame Joffrey.

Aussitôt les lettres se détachent du carnet pour flotter à la hauteur de ses yeux.

La mendiante ouvre le coffre, et le garçon s'y glisse. Le couvercle à peine refermé, il se sent aspiré dans le vide. Il lui semble qu'il flotte dans un gros paquet de coton.

– À l'abordage ! crie-t-il à tue-tête.

FÉE DES SIENNES :
de l'expression « faire des siennes », faire des folies, jouer des tours

CHAPITRE 2

– Hou, hou ! Fée Des Bêtises ? Joffrey ? Vous êtes là ? C'est moi !

Morgan pousse la porte de la cabane, mais celle-ci est déserte. Il jette un coup d'œil autour. Aucune trace de ses amis. Sans attendre, il enfourche sa bicyclette et pédale jusqu'à l'école. À l'arrière s'étend un vaste terrain vague. Si la magicienne est quelque part, ce ne peut être que là. Elle y a installé ses quartiers d'été : de vieux cartons humides accrochés aux basses branches d'un sapin. On ne peut pas dire que ça sente très bon, mais c'est sa maison, son chez-soi. Et elle en est fière.

Après avoir emprunté un chemin boueux et bosselé, Morgan arrive enfin à l'abri où vit son amie. Cette dernière est occupée à trier de vieux vêtements qu'elle sort d'un antique chariot à provisions déglingué et rouillé.

– Bonjour, Fée Des Bêtises ! lance Morgan en sautant de son vélo.

– Tiens, tu n'es pas chez ta cousine? lui demande-t-elle, tout en lissant les plis d'une robe bleue pas mal tachée, dénichée plus tôt dans une poubelle.

– Non, elle a téléphoné pour annuler, elle est malade. Je ne devrais pas dire ça, mais je suis drôlement content. Pas qu'elle soit malade, bien sûr, mais qu'on n'y aille pas!

Morgan s'appuie contre le cadre de sa bicyclette et regarde Fée Des Bêtises travailler en silence durant quelques secondes.

– T'as pas vu Joffrey, par hasard? l'interroge-t-il.

– Si, si! Il est passé à la cabane après l'école, répond la sans-abri, tout en poursuivant sa tâche.

– Bon, eh bien, puisque tu es occupée, je vais aller chez lui pour l'aider à faire son travail, comme ça demain on pourra jouer avec Jenny.

Morgan remonte sur son vélo.

– Joffrey n'est pas chez lui! dit l'itinérante.

– Ah bon! Il est où? fait Morgan, brusquement anxieux.

Il a un mauvais pressentiment.

– Il fait des recherches sur le livre, *L'île au trésor*, explique la magicienne en roulant en boule un gros chandail de laine qui servira de nid douillet pour Rasta, son rat de compagnie.

– Ah, bien ! Je vais aller le rejoindre à la bibliothèque, alors ! s'exclame Morgan, soulagé.

– Pas à la bibliothèque ! J'ai dit : sur l'île au trésor, marmonne la sans-abri, levant vers lui des yeux où il peut lire un peu de gêne.

– C'est pas vrai ! Je rêve ! Tu ne l'as quand même pas envoyé sur l'île au trésor tout seul ?! s'écrie Morgan.

– Pas vraiment sur l'île au trésor, puisque je ne sais pas où elle se situe. Elle n'existe sûrement pas, d'ailleurs. C'est une invention de Stevenson pour son roman, se défend l'itinérante.

Morgan demeure bouche ouverte, surpris.

– Je l'ai envoyé chez les pirates, puisqu'il veut faire des recherches pour son travail…, continue Fée Des Bêtises, avec un petit ton supérieur.

– Chez les pirates ! Les pirates ?! Les pirates !

Morgan bégaie d'émotion.

– Mais c'est super dangereux ! Comment as-tu pu faire une chose pareille ?

– Oh, c'est simple ! Il a lu l'expression magique et je l'ai fait passer par le coffre.

– Fée ! Te rends-tu compte que tu l'as expédié là-bas, tout seul ? Il ne peut même pas compter sur ta magie si jamais il a des ennuis. Il faut aller le chercher. Vite, retournons à la cabane !

Morgan saute sur son vélo. Fée Des Bêtises ramasse tranquillement ses guenilles, les replace, bien pliées, dans son chariot et pousse ce dernier sous son abri de carton.

– Sois sage, Rasta ! lance-t-elle à son rat, en lui tapotant doucement le crâne. Je reviens très vite !

– Dépêche-toi !

Une fois de retour à la cabane, Morgan s'assure de prendre son précieux calepin.

– Allez, Fée ! Que dirais-tu d'un petit voyage dans le sud ?

– Eh bien, ce n'est pas de refus ! J'ai toujours rêvé de prendre des vacances dans un de ces paradis tropicaux. En route !

Ils se glissent tous les deux dans le coffre. Morgan manque étouffer lorsqu'il sent l'odeur nauséabonde qui s'échappe des vêtements de son amie. Mais ce n'est qu'une question de secondes, après tout.

Fée Des Bêtises referme le couvercle de la malle sur eux.

– UNE FÉE… DES SIENNES! lance Morgan, en guise de mot de départ. Les lettres volent et s'engouffrent dans le coffre.

Aussitôt, l'odeur désagréable disparaît. Morgan et Fée Des Bêtises se sentent aspirés.

Un champ de boules de coton amortit leur chute dans un monde de magie, d'aventures, de mystères et de dangers.

CHAPITRE 3

– Palsambleu ! Y a un **rufian** dans mon hamac !
tonne une voix bourrue.

Une main large, solide et
calleuse soulève Morgan,
puis le laisse tomber sur
le sol. La tête du garçon
heurte lourdement un
tas de noix de coco.

« Hein ? Où suis-je ? se demande-t-il en cares-
sant la bosse qui vient de pousser sur son crâne.
Ah oui, je me souviens ! On est venus chez les
pirates… »

– Les piraaaaates ! se met-il à hurler en se relevant très vite.

Mais ses jambes le trahissent et il s'étale de
tout son long. Illico, des dizaines de rires gras
éclatent autour de lui.

– D'où c'est qu'tu sors, **maraud** ?

La grosse voix claque à ses oreilles. La même
main lourde qui l'a jeté en bas du hamac le relève
par le col de sa chemise. Morgan se retrouve

nez à nez avec un type à la mine inquiétante, qui rote des vapeurs de rhum.

« Je suis foutu ! Je suis tombé au milieu des pirates ! Où est Fée Des Bêtises ? » songe Morgan.

– Morbleu, le **blanc-bec** a perdu sa langue ! Viens voir ici si on te l'a coupée !

Le pirate force Morgan à ouvrir la bouche. Le garçon émet un gargouillis incompréhensible.

– Alors, qu'as-tu à dire pour ta défense, espion ? Et le pirate le secoue comme un cocotier.

– Monsieur le… le pirate ! bafouille Morgan. Je m'appelle Morgan. Vous n'auriez pas vu Joffrey, par le plus grand des heureux hasards ? commence-t-il, le plus poliment possible.

– Palsambleu, quelle langue qu'il **jacte**, ce **faquin** ?

– C'est un Espagnol ! s'exclame un pirate à la voix éraillée. Faisons-lui rôtir la plante des pieds !

– Non, c'est un Anglais ! crie un autre. Pendons-le par les orteils !

– Pas du tout, c'est un Hollandais ! hurle un troisième. Enterrons-le vivant !

– Ça suffit ! tranche finalement un quatrième lascar.

Morgan tourne la tête vers ce nouvel arrivant qui a tout l'air d'être le chef des pirates. L'homme porte un beau costume de **damas** écarlate. Une croix de diamant est accrochée à la chaîne d'or qu'il a autour du cou. Une écharpe blanche traverse sa poitrine. Trois pistolets sont plantés dans les fourreaux qu'il porte en bandoulière. Un grand sabre pend à son côté gauche. Ses bottes montent jusqu'au-dessus de ses genoux. Il a vraiment fière allure. Ses cheveux remontés en **catogan** sont d'un noir très luisant. À première vue, comme ça, c'est un bel homme. Un capitaine imposant.

Morgan est ébloui. Il avale sa salive. Il veut se présenter sans bafouiller, pour faire bonne impression. Mais voilà que son regard se porte sur ses propres habits. Il n'est vêtu que d'une chemise de drap raide et plutôt sale, d'un pantalon effrangé à mi-jambe. Pour couronner le tout, il est nu-pieds et ses cheveux lui collent aux tempes à cause de la sueur. Comme il se sent misérable !

– Attachez-le solidement à un arbre. On décidera de son sort plus tard. Pour le moment, nous avons autre chose à faire !

– Bien, cap'taine !

Une fois encore, le garçon se sent soulevé du sol. Un pirate au sourire noirci par les **chicots** et à la barbe rousse, brûlée à maints endroits par les cendres de sa pipe, le ligote comme un saucisson. Le garçon ne peut plus faire un mouvement.

« Que va-t-il m'arriver ? Où est Fée ? se lamente-t-il en silence. Je dois trouver un moyen de m'échapper ! »

Les pirates, qui sont au moins une centaine, sont rassemblés près de huttes de fortune. Une voile de bateau déchirée, tendue sur des **tréteaux**, protège des tonneaux de bois. Un homme semble monter la garde devant cet entrepôt de fortune. Il tire sur sa pipe tout en marmonnant des paroles incompréhensibles. Un de ses compagnons, furieux, surgit et lui hurle en plein visage :

– Sangdieu ! Fumer près des tonneaux de poudre à canon ! Tu veux tous nous faire rôtir, faquin ?!

– Dé… désolé, monsieur Flag ! bafouille le garde.

« De la poudre à canon… Tiens, tiens, c'est intéressant ! songe Morgan. Je suis sûr que leurs réserves de nourriture sont aussi dans des tonneaux. Du sel, du rhum, des biscuits, de l'eau, du poisson salé, bref, tout ce que tout bon marin de l'époque doit penser à emporter en mer. Ils sont venus sur cette île pour faire leurs provisions. C'est bon à savoir ! »

Celui que le pirate a appelé monsieur Flag s'approche de Morgan. Il porte un anneau d'or à l'oreille droite et n'a vraiment pas l'air commode. On sent qu'il a l'habitude d'être obéi au doigt et à l'œil. Contrairement aux pirates de rang inférieur, il est assez bien vêtu. Il porte de hautes bottes de cuir noir comme le capitaine, un beau pantalon bleu nuit et une redingote de la même couleur sur une chemise blanche dont les poignets et le col sont en dentelle. Ses cheveux longs tombent sur ses épaules musclées. Sa seule arme est un pistolet glissé dans la ceinture de son pantalon. Mais il semble très fort physiquement.

– Je suis le quartier-maître, le second du capitaine Laterreur. T'as intérêt à filer droit. Le capitaine n'aime pas les fouineurs.

Monsieur Flag menace le garçon du doigt.

– Tu pourrais bien goûter du chat à neuf queues, mon gars, si tu fais le **marsouin** !

– Le chat à neuf queues ? Marsouin ? s'étonne l'enfant.

Un rire sinistre sort du gosier du pirate. Alors que Morgan s'interroge sur cette race de chat qu'il ne connaît pas, monsieur Flag lui passe son fouet à neuf lanières sous le bout du nez. Le jeune garçon comprend immédiatement.

« Oh ! oh ! se dit-il. Voici donc le chat à neuf queues… Fée Des Bêtises, au secours ! »

Le pirate s'éloigne en ricanant. Les autres ne s'occupent pas de lui. Certains jouent aux dés, d'autres se battent, tandis que d'autres encore se balancent nonchalamment dans leurs hamacs. Il y en a même un qui lit la Bible et marmonne des prières.

« Il veut sans doute se faire pardonner ses mauvaises actions », pense Morgan.

Déjà, le soleil commence à tomber dans la mer, lui donnant une magnifique teinte orangée. Des pirates allument des chandelles, ce qui constitue leur seul éclairage. Plusieurs dorment déjà.

L'aventurier a beau fouiller la côte du regard, il ne voit aucune trace de leur bateau. Ils doivent l'avoir mis à l'abri dans une crique, non loin de là.

Alors que ses chevilles et ses poignets endoloris commencent à s'ankyloser, le garçon sent une main qui se glisse entre ses entraves de corde. Une voix qui parle une langue étrangère lui chuchote :

– Chut ! Pa rélé. Mwen pral détaché ou ti-gason. Mwen sé Agénor ! Mwen sé esklav pirat yo[1].

La langue créole est difficile à comprendre. Il saisit néanmoins que son sauveur lui dit de ne pas crier. Il est aussi question d'esclave et de pirates.

Morgan se retient de parler. Il a mille questions à poser, mais le moment n'est pas très bien choisi pour engager une conversation. Quelqu'un tente de le délivrer ; c'est tout ce qui lui importe pour l'instant.

---

1. Chut ! Ne crie pas ! Je vais te délivrer, petit garçon. Je suis Agénor ! Je suis l'esclave des pirates.

Aussitôt libéré, le garçon se retourne pour remercier son sauveur. Il se retrouve nez à nez avec une fillette qui a à peu près son âge et un sourire d'une blancheur éclatante dans un visage rond et noir comme du charbon.

Agénor, l'esclave en fuite, attrape l'enfant par le bras et le tire fermement vers l'intérieur de l'île. Ils doivent fuir la plage au plus vite, avant que les **flibustiers** ne s'aperçoivent de leur disparition.

Ils courent et courent jusqu'à ce qu'ils s'écroulent, à bout de souffle, derrière un bosquet d'**hibiscus**.

– Merci! Merci mille fois Agénor! halète le jeune aventurier. Je m'appelle Morgan, je viens de…

Mais, alors qu'il s'apprête à lui révéler comment il s'est retrouvé sur l'île des pirates, il s'arrête. La jeune esclave ne le croirait jamais! Elle le prendrait sûrement pour un fou et l'abandonnerait tout seul au milieu des **forbans**, dans une jungle totalement inconnue.

– … de très loin, termine-t-il pour ne pas laisser sa phrase en suspens.

– Mwen menm tou, mwen soti byen lwen. Yo te kenbe'm an Afrik é yo vann mwen a yon négrié. Apre sa, yo vann mwen ankò ak yon nonm blan pour travay sou plantasyon. Li te atake bata pirat yo. Yo kenbe'm ankò yon fwa, epi mwen tounin esklav. Apre mwen sove[2].

– Eh bien! t'as fait tout un voyage, si je comprends bien! Donc tu viens d'Afrique, pauvre Agénor. Maintenant, te voilà libre. Viens, il faut qu'on retrouve mon amie Fée Des Bêtises et mon copain Joffrey.

Agénor agrippe alors le bras de Morgan. Ses yeux ronds comme des billes de nacre s'illuminent.

– Mwen konen Joffrey! Yo kenbe li prizonye sou bato pirat. Chef là trè mechan[3].

– Quoi? Joffrey prisonnier?! Il faut le délivrer. Vite, allons-y!

Morgan se relève derrière les hibiscus. Il veut retourner vers la plage et le repaire des

_____

2. Moi aussi, je viens de loin. J'ai été capturée en Afrique et vendu à un négrier. Ensuite, j'ai été vendue à un homme blanc pour ses plantations. Son bateau a été attaqué par des pirates, j'ai été capturée de nouveau, et je suis encore esclave.

3. Je connais Joffrey! Il est prisonnier sur un bateau pirate. Le capitaine est très méchant.

pirates. Mais Agénor l'en empêche, le forçant à s'accroupir à ses côtés.

– Li pas sou bato chèf Laterreur, men sou yon lòt bato sou lanmè[4].

Morgan se laisse tomber sur les fesses. Joffrey est en mer ! Comment le délivrer maintenant ?

« Ah ! si Fée Des Bêtises était là ! Il faut la retrouver ! Elle seule peut nous tirer de ce cauchemar ! »

– Agénor, nous devons retrouver mon amie. Elle ne doit pas être loin, nous sommes passés ensemble par la malle magi…

Encore une fois, le garçon ne finit pas sa phrase. Comment expliquer à une gamine du dix-huitième siècle que Fée Des Bêtises est une magicienne et qu'ils viennent tous deux du vingt et unième siècle ? Impensable !

Les deux enfants décident de s'éloigner tout en demeurant sur leurs gardes.

Agénor marche vite. Elle a l'habitude de se déplacer pieds nus dans cet environnement tropical. Pour Morgan, c'est plus difficile. Il jette

---

4. Il n'est pas avec le capitaine Laterreur, mais sur un autre bateau en mer.

des coups d'œil craintifs sur la végétation qui l'entoure, effrayé par tous les bruits qui en sortent.

Alors qu'il écoute avec appréhension ces sons inquiétants, un animal passe devant lui à toute vitesse. Le garçon sursaute et s'arrête net.

— Pa bezwen pè[5] ! **Agouti** ! déclare Agénor, qui se glisse entre deux palmiers.

— Agouti ? J'ai déjà entendu ce mot, mais je ne sais plus de quel animal il s'agit, répond Morgan en suivant Agénor au plus près, parce qu'il a quand même eu une belle frousse !

— Se pas bèt mechan, men li vòlè ! Li renmen manje zé pwason[6], explique la fillette.

Elle cueille une fleur d'hibiscus qu'elle glisse dans ses cheveux crépus.

— Tu es belle à croquer ! lui lance Morgan avec un sourire malicieux.

Elle lui répond d'un rire clair, roulant comme une cascade.

— Ouap palé ouap di croké, mwen grangou anpil[7] !

— Moi aussi !

---

5. N'aie pas peur !

6. Il n'est pas méchant, mais c'est un voleur ! Il mange des œufs et du poisson.

7. Parlant de croquer, j'ai très faim !

Brusquement, sans prévenir, Agénor se jette sur lui et le plaque au sol. Des bruits de pas précipités, des craquements de branches qu'on piétine et qu'on casse rompent le silence de la nuit. Les pirates sont à leur recherche. Les deux fugitifs retiennent leur souffle de peur qu'un seul tressaillement les trahisse.

Ils se mettent à ramper. Agénor avance lentement, suivie de Morgan. Le nez collé à ras de terre, ils progressent très doucement, s'efforçant de déplacer le moins d'herbes possible. Morgan a le cœur qui cogne si fort qu'il a l'impression de l'entendre résonner. Il est convaincu que les pirates vont les repérer.

Heureusement, les bruits semblent s'éloigner. Agénor colle son oreille sur le sol pour écouter les vibrations. Son nouvel ami s'approche d'elle.

– Yo chanjé nan direksyon yo[8]! murmure la fillette en se relevant.

Alors qu'un soupir de soulagement monte aux lèvres de Morgan, toujours à plat ventre, son nez entre en contact avec une botte de cuir

_____

8. Ils ont changé de direction!

noire et luisante. Ils sont cuits! Le garçon n'ose pas relever la tête. Qui, du capitaine Laterreur ou de monsieur Flag, vient de mettre ainsi un terme à leur fuite éperdue au cœur de la nuit tropicale?

« Pourquoi Agénor ne crie-t-elle pas? » s'interroge Morgan, tremblant de tous ses membres.

CHAPITRE 4

Morgan se sent désemparé. Il est incapable de se relever. Au contraire, il s'aplatit encore plus sur le sol.

— À quoi tu joues, là ?

Voilà une voix qu'il connaît bien ! Il en reste abasourdi un instant. Puis il bondit sur ses pieds et se jette dans les bras de son amie, Fée Des Bêtises. Tant pis si elle pue ! Mais Morgan s'aperçoit vite qu'elle ne sent pas mauvais. Au contraire, elle dégage un doux parfum de fleur. Et son habillement ! Ouah ! Un vrai capitaine de navire. Elle porte un pantalon de soie noire, une veste de damas noir aussi, une chemise de **batiste** à **jabot** de dentelle. Une écharpe de soie blanche lui barre la poitrine et retient deux poignards d'argent finement ciselés. Une mèche de ses cheveux gris s'échappe d'un couvre-chef de feutre orné d'une plume d'autruche blanche. Elle tient, dans une main, une jolie épée d'Espagne et, dans l'autre, une longue-vue. Mais ce qui fait éclater Morgan de rire, c'est le perroquet qui est juché sur son épaule. Un perroquet bariolé. Un perroquet… mécanique.

– Ben quoi ? Tous les capitaines corsaires ont un perroquet ! s'exclame Fée, un peu vexée.

– Je ne dis pas le contraire, mais un perroquet… mécanique ! Mécanique ! fait Morgan en s'esclaffant de plus belle et en se tapant sur les cuisses. Hi, hi, hi !

Il rigole à n'en plus finir, au point que des larmes lui coulent des yeux. Mort de rire, il est obligé de s'appuyer sur l'épaule d'Agénor.

– Bon, ça va ! bougonne Fée. Un perroquet mécanique, ça ne jacasse pas tout le temps. As-tu déjà essayé de porter un vrai perroquet sur ton épaule ? C'est l'enfer ! Ça crie sans cesse, à t'en percer les tympans. J'ai trouvé la solution ! Mon Coquelicot est adorable… et muet, lui ! conclut-elle.

– Bonjou madam chèf ! enchaîne Agénor, dévisageant Fée d'un air étonné. Ta dwe ka pati isit la, paske yo pirates nou chache[9].

_____

9. Bonjour, madame capitaine ! On doit vite partir d'ici, parce que les pirates nous cherchent.

Effectivement, les pirates s'approchent de nouveau. Leurs cris, leurs appels retentissent. Agénor, Morgan et Fée risquent l'encerclement à tout instant.

– Tu as raison, jeune fille! Sauve qui peut! Euh... Morgan... n'as-tu rien à me dire pour que je garde mes pouvoirs magiques? demande Fée en soulevant son chapeau de feutre.

Morgan a un instant d'hésitation. Il a peur d'effrayer Agénor. Mais la fillette est occupée à surveiller les bruits environnants. Hoquetant toujours de rire, il lance, en s'efforçant de ne pas bégayer, car son pluriel amusant pourrait ne pas fonctionner :

– UN CIEL... DES TOILES*!

Aussitôt les lettres s'échappent du carnet et deviennent de petites étoiles entre la magicienne et lui.

Fée Des Bêtises lui sourit. Morgan montre alors une bourse qui pend à la ceinture de son amie.

UN CIEL... DES TOILES :
un ciel d'étoiles est un
synonyme de «ciel étoilé»

– Tu as emporté tes sous ? demande-t-il, étonné.

– J'ai oublié de laisser ma petite monnaie sur la table dans la cabane, réplique-t-elle en ouvrant sa bourse. Nous sommes partis trop précipitamment.

– He, mwen pa janm wè sa ki amba yo[10] ! lance Agénor, en reportant son attention sur eux.

La magicienne lui tend la bourse pour qu'elle examine les pièces. La petite fille en fait tourner une entre ses doigts effilés.

– Pa ki doublons, gen giné, gen louis, gen ducats, gen crusados[11] ! s'étonne-t-elle en mordant dans la pièce pour s'assurer que ce n'est pas du toc.

– Euh… non, juste des sous ! s'amuse Morgan. On vient de loin, je te l'ai dit tout à l'heure. On t'expliquera tout plus tard et en détail, quand on aura retrouvé Joffrey…

Il est un peu gêné de cacher la vérité à sa nouvelle amie, mais il a peur de l'effrayer avec ses histoires de voyages dans le temps.

– Dis-moi, Agénor, comment peux-tu connaître tous ces types de monnaie ? l'interroge Fée en passant son bras sous celui de la fillette.

---

10. Hé, j'ai jamais vu ces sous là !

11. Pas des doublons, pas des guinées, pas des louis, pas des ducats, pas des crusados !

Elle les entraîne toujours un peu plus loin à l'intérieur de l'île.

– Pirates yo atake tout kalite bato … Yo gen ampil richès, yo plen lajan dwòl[12], explique Agénor.

– Un trésor! s'exclame Morgan, qui a arrêté de rire, brusquement très intéressé par la discussion.

– Bien sûr! Les pirates ont tous un trésor! réplique Fée.

– Hé! hé! Si on retrouve Joffrey, on pourrait peut-être piquer le trésor du capitaine qui l'a enlevé!

Les yeux de Morgan brillent de convoitise. Il se voit déjà en train d'ouvrir des coffres bourrés de perles, de vaisselle d'or et d'argent, de soieries délicates. Un vrai trésor de pirates!

---

12. Les pirates attaquent toutes sortes de bateaux… Ils ont un trésor, avec plein de monnaies étranges.

– Ne rêve pas trop, jeune homme. Nous n'avons pas affaire à des marins d'eau douce. Ce sont de vrais scélérats !

– C'est à moi que tu dis ça ?! Tu aurais mieux fait de retenir Joffrey ! se rebelle Morgan avant de s'éloigner à grandes enjambées de ses deux amies.

– Je sais. Parfois, mon côté Des Bêtises me donne moins de jugeote que mon côté Fée. Je suis désolée ! s'excuse-t-elle en accélérant le pas.

Agénor, elle, ne dit pas un mot. Elle se contente d'écouter ses deux nouveaux amis se disputer. Elle ne comprend pas grand-chose à ces histoires de bêtises et de fée, mais tant pis ! Ils sont sympathiques et elle les aime bien.

– Morgan ! appelle Fée Des Bêtises. Nous voici arrivés à ma cachette !

Le garçon, l'air toujours boudeur, vient rejoindre la magicienne et Agénor devant l'entrée d'une grotte. Tous trois pénètrent à l'intérieur.

Fée attrape une torche accrochée à la paroi rocheuse, sort un briquet antique de sa poche et l'enflamme. Une chaude lumière guide leurs pas à l'intérieur de l'antre. Fée allume un grand feu au milieu. D'un panier fait de palmes tressées, elle sort des fruits exotiques qu'elle dépose devant les deux enfants.

– **Goyaves, papayes !** s'écrie Agénor en se précipitant sur les fruits.

– Et des mangues ! Ça, j'en ai déjà mangé ! fait Morgan en se tranchant un gros morceau du fruit orange.

– Il y a aussi des **corossols**, des bananes, des **grenades**, des ananas et des noix de coco. J'ai même pêché de beaux lambis ! Un superbe festin !

Fée est toute fière de ses trouvailles.

– C'est ça, un lambi ? demande Morgan en tournant un gros coquillage rose entre ses doigts.

– Oui. On mange le mollusque à l'intérieur et, avec le coquillage, on peut faire des bijoux, des outils et même un instrument de musique, explique Fée.

Elle souffle dans le coquillage. Un son étouffé en sort, ressemblant au bruit d'une corne de brume.

– Chut! tu vas attirer les pirates! s'exclame Morgan.

Ils se figent tous les trois et tendent l'oreille. Ouf! pas un bruit suspect. Le garçon inspecte alors la grotte. Grâce à ses pouvoirs magiques, Fée s'est aménagé un superbe intérieur fait de corail, de perles et de tissus magnifiques.

– Comment se fait-il que, moi, je suis tombé en plein milieu des pirates et pas toi? l'interroge-t-il en frictionnant ses poignets qui portent encore la marque des cordes.

– Je suis aussi tombée en plein milieu du camp des pirates. Mais comme ils me tournaient tous le dos, j'ai pu filer en douce! répond Fée Des Bêtises.

– Et tu m'as abandonné? lance Morgan, éberlué.

– Pas du tout! Je savais que je devais prendre un peu le large, avant de revenir te chercher. C'est d'ailleurs ce que je me proposais de faire lorsque je vous ai rencontrés tous les deux. Voyons, Morgan, t'ai-je déjà abandonné au cours d'une de nos aventures?

Le garçon sourit.

– Non, jamais. Pardonne-moi si j'ai douté de toi. Mais j'ai eu peur, si tu savais !

Puis, se rendant compte qu'Agénor l'écoute, il rougit jusqu'au bout des oreilles. Avouer qu'on a eu peur n'est pas très glorieux !

– Bon, et maintenant qu'est-ce qu'on fait ?

– Je sais où les pirates ont caché leurs bateaux. On va en prendre un et partir à la recherche de Joffrey. Tout est prêt. Je n'attendais plus que toi pour voler le navire.

– Mwen pral avèk nou[13] ! dit Agénor.

– Très bien ! Alors, mangeons et ensuite en route ! décrète Fée.

La nuit est à présent bien installée. C'est le bon moment pour essayer de prendre le bateau pirate. L'obscurité leur donne un avantage : même s'ils ne sont que trois, ils ont toutes les chances de surprendre les flibustiers.

Morgan, Agénor et Fée Des Bêtises quittent la grotte. Celle-ci reprend aussitôt son apparence originelle. Les perles, les coraux, les tissus, tout disparaît… par magie !

Dehors, la demi-lune les éclaire suffisamment pour leur permettre de s'orienter, mais pas assez

---

13. Je vais avec vous !

pour les trahir. En silence et à la queue leu leu, les trois aventuriers avancent le plus rapidement possible.

Le bruit des vagues qui déferlent sur les rochers masque celui de leurs pas. Après avoir descendu la pente raide d'un **morne**, ils voient une **anse** où l'eau clapote doucement. Une petite

lueur rougeoyante attire leur attention. Il y a un garde qui s'allume une pipe sur la plage. Et peut-être quelques autres sur le bateau. Morgan, Agénor et Fée Des Bêtises devront se montrer très prudents.

La plage est maintenant droit devant eux. Il n'y a plus à hésiter ; il faut foncer. Fée s'élance d'abord, un pendentif à la main.

– Regarde le beau bijou ! Comme il est beau, mon or ! chante-t-elle en regardant la sentinelle.

Les yeux de l'homme fixent le bijou, se mettent à tourner à droite, à gauche, en haut en bas, en spirale. Et patatras ! le garde tombe endormi.

Morgan et Agénor s'empressent de rejoindre la magicienne. Ils avancent lentement dans l'eau qui leur arrive aux hanches. Deux bateaux sont à l'ancre. Avec précaution, ils s'approchent du plus petit, un **brigantin**, un superbe bâtiment sûrement volé à une flotte de guerre. On voit les **sabords** ouverts où pointent cinq canons à bâbord. Il doit y en avoir tout autant à tribord.

Fée Des Bêtises agrippe la chaîne de l'ancre et se hisse sur le côté gauche, ou bâbord, du bateau avant d'hypnotiser deux autres gardes. Patatras ! patatras ! font-ils en tombant sur le pont. La magicienne les ligote, puis les fait passer par-dessus bord. Agénor et Morgan se chargent de les déposer au sec sur la plage et retournent au brigantin.

La magicienne fait descendre une corde sur le flanc du navire. Agénor l'attrape et monte agilement. La corde revient. Cette fois, c'est le tour de Morgan. Il a horreur de grimper à la corde ! Même dans les cours d'éducation physique à l'école ! Il grogne de mécontentement.

Sur le pont, les trois amis se retrouvent seuls. Fée remonte l'ancre. Ça grince un peu ! Elle espère que les pirates n'entendront rien. Agénor et Morgan se chargent de larguer les voiles. Plus facile à dire qu'à faire, surtout à deux ! Ça peut leur prendre un temps fou. Heureusement, Fée arrive sur-le-champ à la rescousse.

« C'est quand même pratique, d'avoir des pouvoirs magiques », songe le jeune aventurier en admirant les voiles carrées qui se déploient et se gonflent dans le vent.

Agénor, elle, ouvre de grands yeux à la fois étonnés et effrayés. Là-bas, dans son pays d'Afrique, les sorciers, qu'on appelle des marabouts, sont des gens respectés et, surtout, très craints.

« Ai-je bien fait de les accompagner ? se demande-t-elle en les surveillant du coin de ses noires prunelles. De toute façon, il est trop tard pour changer d'idée. Jusqu'à maintenant, ils ne m'ont pas fait de mal, au contraire. Et peut-être que je retrouverai mon pays grâce à eux ! »

Elle se prend à rêver d'un retour en Afrique.

– Agénor, viens m'aider ! crie Morgan. Il faut tenir la barre bien droite pour sortir de l'anse. Elle est trop lourde pour moi.

La fillette attrape la barre et, de leurs quatre mains

unies, ils la maintiennent fermement dans la bonne direction. Le brigantin s'éloigne vers le large. Les pirates ne se sont aperçus de rien !

CHAPITRE 5

Au cœur de la nuit caraïbe, le brigantin, baptisé le *Voyou*, court vaillamment mais sûrement sur la mer, poussé par des **alizés** bienfaisants et doux.

À bord, tout est calme. Morgan et Agénor maintiennent le cap, tandis que Fée Des Bêtises s'occupe de tout le reste, et c'est beaucoup pour une seule personne. Ses pouvoirs magiques se révèlent encore une fois plus qu'utiles.

Enfin, le petit jour montre son nez au-dessus de l'horizon. Le bateau est accompagné de mille oiseaux typiques de cet endroit du monde.

Le *Voyou* longe les côtes. Le bateau de Joffrey doit sûrement croiser dans les parages. Les centaines d'îles qui parsèment la mer constituent autant de refuges de pirates. La plus célèbre est l'île à la Tortue. Peut-être est-ce là que Joffrey a été emmené par ses ravisseurs.

Morgan espère que ce n'est pas le cas. Affronter cent brigands, oui, mais mille, c'est trop pour trois aventuriers, même parmi les plus téméraires.

Alors que le garçon scrute les **lagons** bleu azur d'une côte qui se dessine devant lui, son regard est attiré par un mouvement au fil de l'eau. Un tronc d'arbre flotte vers eux. Le garçon regarde plus attentivement. Des hommes lui font des signes en agitant des bouts de tissu depuis cet **esquif** qu'il a confondu avec un tronc à la dérive.

– Hommes à la mer ! Hommes à la mer ! hurle-t-il en courant sur le pont, tout excité par sa découverte.

Fée Des Bêtises sort de la cabine et vient rejoindre Morgan et Agénor. Tous trois scrutent la mer. L'embarcation des naufragés se rapproche.

– C'est un gommier ! précise Fée.

Devant l'air interrogateur de son ami et d'Agénor, elle explique :

– C'est une barque creusée dans le bois de l'arbre du même nom, à la manière des anciens indiens caraïbes.

– Des Indiens ! s'étonne le garçon. Mais il n'y a plus d'Indiens dans les Antilles depuis longtemps. Ils ont tous été massacrés.

– Se pa Endyen! Se kèk pirates! Se pirates[14]!
hurle Agénor qui se met à courir en rond, cher-
chant un endroit où se cacher.

Elle finit par plonger sous des voiles déchirées,
entassées sur le pont.

– On ne peut pas les laisser là, en pleine mer!
dit le jeune aventurier. Il faut les sauver! On
les surveillera de près, c'est tout! Et puis, il faut
ménager tes pouvoirs magiques, Fée. On peut
en avoir besoin pour secourir Joffrey. Alors, une
dizaine de paires de bras en plus pour manœuvrer
le bateau seraient les bienvenues!

– Bien sûr, Morgan, sauvons-les! Ils pourront
peut-être même nous dire où se trouve Joffrey. Et
ne t'en fais pas, je les tiendrai à l'œil.

Le gommier est maintenant collé au flanc du
brigantin. Fée balance une corde aux hommes
qui s'y accrochent. Un à un, ils embarquent sur le
navire.

Ils sont déguenillés, sales à faire peur, hirsutes,
et certains paraissent même malades. Dès qu'ils
posent le pied sur le bateau, ils s'écroulent… de
fatigue.

---

14. Pas des Indiens! Des pirates! Des pirates!

– On est les survivants du *Diabolito*, déclare l'un des matelots. Merci infiniment pour votre aide.

Puis, jetant un œil inquisiteur sur le *Voyou* et ne voyant aucun marin, il demande :

– Votre équipage est aux **fers** ?

– Non ! Nous n'avons pas d'équipage, annonce Fée. Nous ne sommes que trois à bord.

Aussitôt, des grognements et des ricanements s'échappent des **gosiers** de la douzaine d'hommes affalés sur le pont.

– Mais nous savons nous défendre ! les prévient Morgan. Qui êtes-vous ?

– N'ayez crainte ! Nous ne vous ferons aucun mal. Nous sommes des matelots, pas des pirates. En fait, nous sommes des corsaires du roi de France. Notre **escadre** a été attaquée par un bâtiment anglais. Puis, comme si ça ne suffisait pas, notre **sloop**, le seul à avoir réchappé à l'attaque des **tuniques rouges**, s'est retrouvé sous le feu d'un pirate impitoyable, Dents de fer, qu'il s'appelle. C'est un tout jeune et tout nouveau flibustier, intrépide et sanguinaire.

– Il a inventé de nouvelles tortures ! renchérit un vieux loup de mer à la barbe blanche. Il pose des questions de calcul et de français. Il m'a demandé si je savais ce qu'était une TORTUNNEL*?! Jamais entendu parler!

– Il paraît que c'est un animal qui creuse. Je comprends pas. Pfff! Il est tuant avec toutes ses questions. Et en plus, il n'arrête pas de parler de Long John Silver et de Jim Hawkins! On ne connaît pas ces gens-là, nous! ajoute un troisième matelot.

– Ça, c'est Joffrey! s'écrie Morgan.

– Quoi? Vous connaissez ce fou?! reprend le premier homme. Vous êtes de sa bande!

Et il se jette à genoux, les mains jointes.

– S'il vous plaît, monseigneur, ne nous faites pas de mal!

– N'ayez crainte, mon brave! le rassure Fée en lui donnant une tape amicale sur l'épaule. Quand êtes-vous tombés sur Joff… sur Dents de fer?

– Oh, c'est pas vieux! Hier, au coucher du soleil! répond le plus âgé des hommes.

TORTUNNEL : mot-valise formé des mots « tortue » et « tunnel »

– Eh bien, il n'a pas perdu de temps pour se faire un nom ! remarque Morgan.

Soudain, le tas de voiles remue. Les marins se redressent, apeurés. Leur a-t-on raconté des mensonges ? Sont-ils tombés dans un nouveau piège de Dents de fer ? Des pirates vont-ils leur sauter sur le **paletot** ?

Deux yeux brillants émergent. C'est Agénor qui daigne enfin réapparaître.

– On a retrouvé Joffrey ! lui explique le garçon en l'aidant à se dégager de ce fouillis de voiles.

– Mwen tande ! Ou dwe kontan ampil[15] ! répond la petite fille.

– Bon, il faudrait peut-être songer à s'installer confortablement, déclare Fée.

– Nous allons vous servir d'équipage, propose le premier matelot. Je m'appelle Colas, j'étais second sur le *Diabolito*. Le vieux, c'est Nicodème, notre fidèle cuistot. Les autres sont de simples matelots, mais de très bons marins. Vous ne regretterez pas de nous avoir aidés.

– Comment vous êtes-vous retrouvés sur ce gommier ? demande Morgan.

---

15. J'ai entendu ! Tu dois être content !

– Rien de plus simple. Dents de fer nous a atta-
qués et comme nous avons perdu le combat, il s'est
emparé du *Diabolito*. Puis il nous a demandé de
choisir entre devenir pirates ou être abandonnés
sur l'île que nous venons de quitter. Certains se
sont faits forbans. Nous, nous avons préféré tenter
notre chance sur l'île. Malheureusement, c'est une
île totalement déserte. Il n'y a pas un filet d'eau
potable !

– Joff… Dents de fer vous a abandonnés sur
une île sans eau et sans nourriture ?

– Il nous a donné deux barriques de lard et
de biscuits, trois fusils, un peu de poudre et
un tonnelet d'eau. Mais c'était insuffisant. Si
vous n'étiez pas arrivés, on était cuits ! explique
Nicodème.

– Fée, je ne reconnais plus Joffrey. Ça ne peut
pas être lui qui agit de la sorte. C'est impossible !

– Li vin fou[16] ? suggère Agénor en serrant très
fort la main de son ami.

– On va le retrouver ! Tout le monde à son
poste ! Monsieur Colas, hissez les voiles ! crie Fée.

À peine les ordres donnés, les marins se précipitent sur les cordages et exécutent les manœuvres.

---

16. Peut-être qu'il est devenu fou ?

Nicodème a, quant à lui, gagné la cuisine. Mais il en sort très vite.

– Y a rien à manger ! La cuisine est vide !

– Oups ! Je vais arranger ça ! affirme Fée. Morgan, s'il te plaît !

– Pa maji, pa maji[17] ! murmure Agénor en leur désignant les marins d'un furtif signe de tête.

– Hum ! tu as raison. Les matelots sont superstitieux. Les sorcières, ils n'aiment pas ça, réfléchit le garçon à haute voix.

– Yo te gen manje nan tonno yo[18] ! explique la fillette.

Elle les entraîne vers les toiles abandonnées sur le pont. Elle les soulève. Une trentaine de tonneaux apparaissent. Nicodème se précipite pour les ouvrir. Il y a cinq tonneaux de poudre ; les autres sont remplis de nourriture. Tout ce qu'il faut pour tenir des mois !

Apparemment, le *Voyou* était sur le point de prendre

17. Pas de magie, pas de magie !

18. Il y a de la nourriture dans les tonneaux !

la mer quand Fée, Morgan et Agénor s'en sont emparés.

– On passe à table dans une demi-heure ! annonce Nicodème en se dirigeant de nouveau vers la cuisine.

Le brigantin continue sa route, naviguant toujours le long des côtes dans l'espoir de tomber sur Joffrey. L'après-midi est déjà bien avancée quand un cri retentit. Celui de l'homme posté dans le **nid-de-pie** en haut du **mât de misaine**.

– Pirates à tribord !

Aussitôt, tout le monde se précipite sur le pont. Les hommes d'équipage ouvrent les sabords de tribord et bourrent les canons.

Dans sa longue-vue, le jeune aventurier observe le vaisseau pirate.

– Le Jolly Roger flotte à son mât principal ! crie la **vigie**.

– La jolie quoi ? demande Morgan en passant sa longue-vue à Fée.

Tout en observant à son tour le navire qui se rapproche du leur, celle-ci répond :

– Le drapeau pirate !

– Mwen renmen t sa ki nan tout bagay ! déclare Agénor. Li dwe defann tèt. Mwen p'ap vle tounen esklav nan pirates. He ! Mwen te yon bon lidé[19] !

Agénor ouvre un des tonneaux et en extrait de pleins seaux d'huile.

– Qu'est-ce que tu fais ? s'étonne Morgan.

– Yon ti sipriz pou pirates yo[20] !

La fillette s'est maintenant emparée d'un énorme sac de pois secs, presque trop lourd pour ses petits bras. Puis, désignant un sac de clous à Morgan, elle lui ordonne :

– Ou menm, ouap plante klou yo nan bo anka-dreman an, kite pwent yo depase. Sa pral fè yo mal ampil lè pirates pral mache sou yo[21] !

Alors, Morgan saisit le plan de son amie.

– Agénor, tu es géniale !

Il se met vite à l'ouvrage. Le vaisseau pirate est déjà à portée de canons. Monsieur Colas et ses hommes sont prêts à faire feu. Fée, sabre au poing, solidement campée sur le **gaillard** d'avant, défie le capitaine pirate.

---

19. J'aime pas ça du tout ! Il faut se défendre. Je ne veux pas retourner esclave des pirates. Hé ! J'ai une idée !

20. Une surprise pour les pirates !

21. Toi, tu plantes des clous dans les planches, mais tu laisses dépasser les pointes ! Les pirates vont avoir mal quand ils vont marcher dessus !

– Feu! crie alors monsieur Colas qui a pris la direction des opérations.

Les cinq canons de tribord tonnent. Une épaisse fumée envahit le bateau, cachant l'ennemi. Puis le vent dissipe la fumée. Morgan se saisit de sa lunette. Les matelots du *Voyou* ont tiré trop court : leurs boulets sont tombés dans l'eau. Ils sont en train de recharger. Mais il leur faut se hâter. Le bateau pirate s'approche dangereusement.

Le garçon continue de planter des clous énormes dans des planches. Agénor, quant à elle, badigeonne le pont d'huile en montrant aux matelots les endroits dont ils doivent se méfier. Il ne faudrait pas que l'un d'eux se fracasse le crâne. La voilà maintenant qui répand des pois secs dans des endroits stratégiques.

Les deux enfants ont à peine fini leur travail que les pirates passent à l'attaque. Leurs boulets écrasent le **gréement**. Un incendie s'est même déclaré dans la cuisine. Les matelots ont fort à faire ; ils sont si peu nombreux ! Tandis qu'ils sont occupés à protéger le navire du feu, les pirates en profitent pour monter à l'abordage. Les grappins sont lancés et les flibustiers se précipitent sur le pont.

Mais voilà, Agénor et Morgan leur ont réservé une belle surprise. Les boucaniers n'arrivent pas à prendre pied sur le pont huilé. Incapables de se tenir debout, ils glissent, se cognent le crâne. D'autres dérapent sur les pois secs comme sur des billes, et d'autres encore hurlent en piquant leurs pieds nus sur les planches hérissées de clous. C'est la débandade chez les pirates.

Les deux enfants se jettent dans les bras l'un de l'autre et dansent de satisfaction. Mais ça ne dure pas très longtemps. Déjà, Monsieur Colas et ses amis se battent à un contre dix à l'épée, il leur est impossible de résister plus longtemps. Le nombre a raison du courage.

« C'est à Fée d'entrer en scène, se dit Morgan. Un petit tour de magie et hop ! les pirates seront envoyés par le fond. »

Mais que se passe-t-il donc ? Fée n'intervient pas ! Où est-elle passée ? Morgan la cherche des yeux. Le panache blanc de son tricorne n'est plus visible sur le gaillard d'avant. Le garçon sent son cœur battre plus fort.

« A-t-elle été fait prisonnière ? Est-elle blessée ? »

Il court vers l'endroit où il l'a vue pour la dernière fois.

Son regard tombe alors sur une pauvre vieille femme allongée sur le pont dans sa redingote noire élimée. Ses longs cheveux gris sont en bataille. Fée est redevenue clocharde et a perdu ses pouvoirs magiques, parce que Morgan a tout simplement oublié de lui dire un mot amusant avant l'affrontement.

« Rien n'est encore perdu ! » songe-t-il en plongeant sa main dans la poche de son pantalon. Mais alors qu'il s'apprête à prendre son calepin, un pirate lui saute sur les épaules par-derrière, le fait chuter et le capture. Il regarde autour de lui. Agénor, monsieur Colas, Nicodème et l'équipage, tout le monde est désarmé. Ils ont perdu le combat.

Morgan aperçoit ensuite le capitaine des flibustiers. Son pouls s'accélère. C'est impossible ! C'est le capitaine Laterreur et son second, Flag, qui lui emboîte le pas.

« Nous sommes fichus ! pense Morgan. Ils ne nous pardonneront jamais de leur avoir volé le *Voyou*. »

Monsieur Flag se penche vers lui, un petit sourire ironique aux lèvres, et fait danser son chat à neuf queues sous son nez.

– Alors, l'espion, nous voilà de nouveau face à face !

CHAPITRE 6

Les pirates ont tôt fait de faire passer Morgan et ses amis sur leur second bateau, le *Poséidon*, un immense bâtiment pouvant facilement contenir jusqu'à deux cents personnes. C'est très impressionnant.

Le garçon songe qu'ils auraient dû prendre le temps de saboter ce gros navire avant de dérober le brigantin.

Pendant ce temps, sur le *Voyou*, l'équipage de **boucaniers** s'empresse de hisser le drapeau noir. Le brigantin se dirige vers le large en saluant le *Poséidon* de cinq coups de canon.

Sur le *Poséidon*, les pirates ont jeté leurs prisonniers dans la cale.

– Ah non ! Mwen p'ap jan vle tounin esklav pirates yo enko[22] !!! se lamente Agénor en pleurant doucement.

Morgan la serre contre lui et presse sa tête contre sa chevelure **ébène**.

---

22. Je ne veux pas redevenir encore esclave des pirates !!!

– N'aie pas peur, nous allons trouver un moyen de sortir d'ici. Ah, si seulement monsieur Flag n'avait pas pris mon calepin…

– Désolée, mon grand, lui murmure Fée. Pas de mots amusants, pas de tours !

À ce moment-là, le vieux Nicodème s'approche d'eux dans le noir. Il soulève timidement son bonnet de laine bleu.

– B'jour, dame ! Vous étiez sur le *Voyou*. Je me présente : Nicodème, le cuistot.

– Oh ! euh… bonjour, mon brave, répond la magicienne.

– Il ne te reconnaît pas, glisse Morgan à l'oreille de son amie, il ne t'a vue qu'en belle capitaine.

– Arrête de faire le joli cœur, Nicodème, intervient monsieur Colas. Pensons plutôt à sortir d'ici. Heureusement, notre capitaine est toujours libre. J'espère qu'elle nous délivrera.

– Lui non plus ne t'a pas reconnue ! poursuit Morgan tout bas.

Puis il ajoute à l'intention de l'équipage :

– Ne vous inquiétez pas, notre capitaine ne nous laissera pas tomber !

– Beurk ! Mwen gen nan lanmè[23]…, chuchote alors Agénor, au bord de la nausée.

– T'as raison, ça pue ici ! ajoute Morgan en reniflant.

– Oh, je suis désolée ! déclare aussitôt Fée en s'éloignant un peu de son ami.

– Non, non ! Ce ne sont pas tes vêtements ! C'est la cale ! C'est affreux, cette odeur ! dit Morgan en se pinçant le nez.

– C'est toujours comme ça sur ces vieux bateaux, explique monsieur Colas. Tu vois, il y a de l'eau qui rentre. Elle croupit dans la cale et se mélange avec les excréments des rats…

– Aïe ! pas des rats ! fait Morgan en repliant ses jambes sous lui. J'ai horreur de ces bestioles… sauf de Rasta, bien entendu !

– C'est plein de vermine aussi sur les bateaux pirates. Ils ne sont pas très propres, les flibustiers, tu sais, enchaîne Nicodème.

---

23. Beurk ! J'ai le mal de mer...

– Oh non ! misère de misère ! De la vermine, ça veut dire des coquerelles, des cancrelats, des poux. J'ai horreur de ça ! s'écrie encore le garçon en se levant précipitamment.

Des poings, il se met à marteler la trappe de bois insérée dans le plafond de la cale.

– À l'aide ! Je veux sortir ! J'exige de sortir ! Je ne veux plus jouer ! Je veux retourner chez moi ! Maman, viens me chercher. Je vous ordonne de me libérer ! crie-t-il à la planche humide.

– Sa p'ap sèvi nou anyen ! Yo san kè[24] !

Au moment où Agénor prononce ces mots, la trappe s'ouvre pour laisser apparaître la face rica-neuse de monsieur Flag, sur laquelle une lanterne projette des ombres effrayantes.

– C'est pas fini, là-dedans ?! Tudieu ! y a pas moyen de roupiller tranquille !

– S'il vous plaît, monsieur Flag, laissez-moi sortir. Je ferai tout ce que vous voudrez ! Je vous le jure ! supplie Morgan, les mains jointes.

– De quoi tu t'plains, **faraud** ?!

– C'est infect dans cette cale, ça pue ! Y a de la vermine… C'est intenable ! lui répond monsieur Colas.

---

24. Ça ne sert à rien ! Ils n'ont pas de cœur !

– Ah, je vois ! Nous sommes délicats ! Eh bien, nous allons vous arranger ça !

Une échelle de corde est lancée dans la cale. Morgan agrippe fermement un de ses barreaux.

– C'est ça, monte ! La fille aussi ! ordonne monsieur Flag.

Agénor se hisse à son tour sur l'échelle.

À peine sont-ils sur le pont que la trappe se referme violemment. Fée Des Bêtises, monsieur Colas, Nicodème et les matelots du *Diabolito* restent prisonniers à fond de cale.

Les yeux du jeune aventurier clignotent sous la violence de la lumière. Après l'obscurité de la cale, il lui faut un moment pour s'y habituer. La fillette titube aussi, aveuglée par la clarté.

– Vous aimez la propreté, mes agneaux ? Eh bien, voilà de quoi vous amuser ! déclare monsieur Flag, hilare, en leur lançant à chacun un seau et une brosse qui atterrissent à leurs pieds. Nettoyez-moi ce pont !

Morgan est projeté au sol par deux mains solides. Sous l'œil réjoui de monsieur Flag, Agénor et lui commencent leur long et pénible travail.

L'eau de mer, salée et additionnée de vinaigre, employée pour nettoyer le pont de bois leur pique les yeux et leur brûle les mains.

– Ak mwen, esklav ankò[25]! se plaint la petite fille.

– Chut! lui ordonne Morgan. On nous surveille. Il faut bien regarder partout. Nous devons trouver un moyen de récupérer mon calepin. C'est le seul moyen pour que Fée Des Bêtises redevienne capitaine.

– Mwen p'ap konprann! Ou se yon marabout! Se danje! Mwen se zanmi ou, hein[26]? s'inquiète brusquement Agénor.

– Bien sûr que tu es mon amie! la rassure-t-il avec un sourire.

– Silence! Travaillez! crie monsieur Flag en poussant le garçon du pied.

Celui-ci s'étale de tout son long sur le plancher tout mouillé, salissant encore plus ses vêtements. Les matelots éclatent de rire.

---

25. Et voilà, encore esclave!

26. Je ne comprends pas! Tu es un marabout! C'est sûr! Je suis ton amie, hein?

Les deux jeunes prisonniers se taisent et se remettent à frotter. Alors qu'il s'apprête à tremper sa brosse une fois de plus dans le baquet d'eau vinaigrée, Morgan aperçoit du coin de l'œil une botte cirée qui s'approche. Le capitaine Laterreur fait son inspection.

– Viens ici, mon gars ! dit-il doucement.

L'enfant relève la tête, pas tout à fait sûr que ce soit à lui qu'on s'adresse.

– Oui, oui, toi !

Le capitaine plie et déplie plusieurs fois son index pour lui faire signe de s'approcher.

– Viens ici !

Morgan se relève maladroitement et s'avance vers l'homme. Son pied glisse sur le pont humide ; il manque de tomber sur les fesses. Mais contrairement à ce qui s'est passé plus tôt, les marins ne rient pas de sa maladresse. Ils ont bien trop peur du capitaine Laterreur. Le garçon se retrouve devant lui, frissonnant, pas très rassuré.

– T'as l'air dégourdi, mon gars. Tu vas nous préparer un salmigondis. Aujourd'hui, c'est mon anniversaire. Quarante ans, ça se fête !

Rhum et bière pour tout le monde ! crie alors le capitaine.

Les hourras des marins retentissent; des bonnets volent en l'air. Un matelot se met même à jouer du tambour; un autre enchaîne avec un accordéon; un troisième souffle dans sa trompette. Un joyeux **tintamarre** éclate. Des marins dansent une gigue endiablée, martelant la cadence de leurs pieds nus.

– Euh… c'est quoi, un salmigondis? demande Morgan, les yeux écarquillés de stupeur.

– Quoi? Un mousse qui ne sait pas ce qu'est un salmigondis! Qui m'a fichu un empoté pareil? gronde le capitaine Laterreur.

– Euh… notre cuistot, Nicodème, pourra vous en faire un superbe. Il s'y connaît en cuisine. C'est un vrai chef! reprend très vite Morgan, de crainte de se retrouver de nouveau enfermé dans la cale.

– Bon! Amènez-moi ce Nicodème! lance le capitaine.

Un matelot ouvre alors la trappe de la cale et y laisse tomber l'échelle de corde.

– Nicodème, viens! appelle aussitôt le garçon.

La face ridée du cuistot apparaît. Ses yeux clignotent un instant dans la lumière. Il se glisse sur le pont.

– Nicodème, fais-moi un bon salmigondis! ordonne le capitaine Laterreur. S'il est parfait, tes amis seront libres de circuler sur mon navire! Exécution!

– Bien, cap'taine! Morgan et Agénor doivent m'aider! dit le cuistot en se dirigeant vers les fourneaux.

Les deux enfants lui emboîtent le pas sans même regarder le capitaine. D'accord ou pas, ils y vont! Pendant que, sur le pont, les matelots dansent, ils se mettent au travail, suivant les instructions du vieil homme.

– Morgan, donne-moi les ingrédients suivants: viande de tortue, poisson, porc, poulet, bœuf salé, jambon, canards et pigeons.

– Ils n'ont pas pu trouver toute cette nourriture sur l'île! s'étonne-t-il.

– Piyé[27]! répond Agénor à voix basse, tout en prenant un énorme chaudron.

– Toi, mademoiselle, tu prépares la marinade.

_____

27. Pillage!

Nicodème continue de divulguer les secrets de sa recette personnelle de salmigondis.

– Du vin, beaucoup de vin avec de la cannelle, de la muscade, des clous de girofle, si tu en trouves.

– Bien, chef! dit la petite fille, en farfouillant dans les tonneaux.

– Il faut ajouter à cela du chou, du hareng salé, des œufs durs, des cœurs de palmier, des mangues, des oignons, quelques olives…

– Pas d'olives! annonce Agénor.

– On s'en passera! poursuit le cuisinier en lançant un à un les ingrédients dans le chaudron. Ajoutons encore du sel, du poivre, quelques épices, de l'ail, de la moutarde, un peu d'huile, du vinaigre et laissons mijoter quelques heures.

– J'ai jamais vu une recette pareille, fait Morgan en s'essuyant les mains sur sa chemise en lambeaux.

– C'est… dé-lec-ta-ble! certifie Nicodème en se passant une langue avide sur ses lèvres gercées.

– Hou là là, Nicodème! Tu as vraiment de très mauvaises dents! remarque Morgan. Et tes gencives, ouache! Ça ne te fait pas mal?

– Si, un peu! Surtout les gencives, pis ça saigne pas mal depuis quelques jours, lui confie le vieil homme.

– Mon vieux Nico, je crois que tu as le scorbut. J'ai appris ça à l'école. Beaucoup de marins en souffrent. Pour guérir, une seule solution : manger beaucoup de citron, explique Morgan à son ami.

Il prend une limette et la lui donne en disant :

– Vas-y, croque, Nico. C'est plein de vitamine C !

Le vieil homme s'empresse de lui obéir, mais fait la grimace en mordant dans l'agrume.

Ayant entendu toute la conversation alors qu'il passait par là, un matelot s'approche à pas feutrés des trois compagnons.

– Je peux en avoir aussi ? Je crois que je suis malade ! déclare-t-il en présentant une main pleine de cloques.

Morgan lui tend une limette. Le matelot s'éloigne en grimaçant. La nouvelle ne tarde pas à se répandre. Le matelot dit à tout le monde que le garçon connaît un moyen de guérir tous les malades. Les voilà qui défilent devant lui un à un. L'un parce que sa jambe le fait souffrir ; l'autre parce qu'il a mal aux dents ; un autre encore parce qu'il a des cloques plein les paumes à force de tirer sur les cordages humides des voiles.

– Je ne suis pas médecin, se défend Morgan en distribuant des limettes.

Monsieur Flag ne tarde pas à venir constater sur place ce qui cause ce défilé incessant.

– Qu'est-ce que tout ce **tintouin** ? ! rugit-il en faisant claquer son fouet contre sa botte.

Les matelots se figent.

– Vos marins sont malades, ils ont le scorbut. Si personne ne les soigne, ils vont tous mourir, le renseigne Morgan.

Le capitaine Laterreur arrive aussi, au moment où monsieur Flag s'apprête à abattre son fouet sur le dos du garçon. Il retient la main de son intraitable second.

– Un instant. Que se passe-t-il ici ?

Morgan sé lance alors dans des explications confuses, mais passionnées, qui finissent par convaincre le capitaine.

– Bon, d'accord ! Nous allons regagner la terre ferme pour soigner nos malades, et leur faire ingurgiter fruits et légumes à volonté, finit-il par décréter. Pour le moment, que chacun regagne son poste.

Puis il se penche au-dessus du chaudron.

– Hum ! je vois que mon salmigondis sera bientôt prêt ! Quelle bonne odeur !

Il plonge une grosse louche dans le chaudron et en retire un peu de bouillon fumant. Il l'avale d'une lampée. Puis, faisant claquer sa langue de satisfaction, il déclare :

– Monsieur Flag, libérez les prisonniers !

Le second se dirige vers la trappe de la cale en ronchonnant. Ça ne lui plaît pas, de libérer les prisonniers, mais il n'a pas le choix. Il doit obéir, sinon le capitaine pourrait l'accuser d'insubordination et l'abandonner dans une chaloupe en pleine mer. C'est comme ça qu'on traite les rebelles chez les pirates !

Monsieur Flag ouvre donc la trappe donnant accès à la cale, et y lance l'échelle de corde. Un à un, les prisonniers montent sur le pont, clignant des yeux, titubant.

Monsieur Colas s'approche de Morgan en prenant bien soin de ne pas se faire remarquer.

–Je ne vois pas notre capitaine. Est-elle retenue dans une autre partie du bateau? demande-t-il en regardant partout autour de lui.

–Hum! je crois que je dois vous dire la vérité, répond-il. Mais, s'il vous plaît, ne dites rien aux autres. Seuls Nicodème et vous devez être au courant. Les matelots sont trop superstitieux.

Monsieur Colas fronce les sourcils.

–Bon, alors voilà, commence le garçon. Fée Des Bêtises et moi venons du vingt et unième siècle. Fée est magicienne…

Alors qu'ils sont tous deux assis sur un tas de cordages, il raconte son histoire à monsieur Colas. Ce dernier n'en croit pas ses oreilles. Mais il n'ose l'interrompre. Tout cela est tellement fantastique!

–Vous me croyez, n'est-ce pas? s'inquiète Morgan une fois qu'il a terminé son récit.

–Euh…

Monsieur Colas réfléchit quelques secondes avant de continuer :

–Oui, c'est difficile à croire, mais… euh… je te crois! Ainsi, la vieille femme, c'est notre capitaine. Il vaut mieux qu'elle reste comme elle est pour l'instant parce que, tu sais, les capitaines pirates ont parfois de drôles d'idées. Tiens, Laterreur pourrait décider d'infliger à notre capitaine le supplice de la planche…

– Le supplice de la planche ? répète le jeune aventurier, intrigué.

– C'est affreux. Les pirates bandent les yeux du condamné et le font avancer sur une planche pas très large, au-dessus de la mer. Ils le laissent ainsi en suspens un instant, mais fatalement le condamné fait un faux mouvement à un moment ou à un autre, par fatigue, et là… plouf, au bouillon !

– Oh non ! Espérons que le capitaine Laterreur n'aura pas une telle idée ! soupire Morgan.

– Lui, peut-être pas, mais je ne fais pas confiance à ce monsieur Flag…

– Virez à bâbord ! crie soudain le capitaine.

Son ordre est immédiatement retransmis par monsieur Flag. Les matelots commencent les manœuvres. Le gouvernail tourne ; le bateau entame son quart de tour. Le capitaine Laterreur tient ses promesses. Le trois-mâts se dirige vers une île, au grand soulagement de Morgan et de ses amis. Une fois à terre, il leur sera sans doute plus facile de fausser compagnie aux flibustiers.

CHAPITRE 7

À peine débarqués, Morgan et Agénor s'enfoncent dans l'île pour récolter des limettes et d'autres fruits qui protégeront les marins contre le scorbut. Fée Des Bêtises, monsieur Colas, Nicodème et les matelots s'emploient à nettoyer le navire.

Les écumeurs des mers et les amis de Morgan semblent avoir fait une trêve, mais ce dernier n'a pas oublié pourquoi il est venu dans ce monde étrange.

– Fée, il faut nous enfuir. Nous devons absolument retrouver Joffrey. Je m'inquiète terriblement pour lui, lance Morgan dès son retour auprès de son amie.

– N'aie crainte, il est très débrouillard, notre Joffrey, répond Fée pour le rassurer.

– Alors ? On complote encore, sacrebleu ? !

La voix tranchante de monsieur Flag fait sursauter le garçon. Il ne répond pas et continue à éplucher les citrons qu'il a récoltés.

– Le cap'taine veut vous faire prêter le serment des pirates… mais, moi, je ne vous fais pas

confiance ! Je vous ai à l'œil, bande de **sacripants** !
continue monsieur Flag en donnant sur sa botte
droite de petits coups de fouet nerveux. Allez,
venez ! Le cap'taine va vous faire jurer.

Morgan et Fée hésitent un instant. Jurer et
ne pas tenir sa parole, ce n'est vraiment pas
convenable.

– Vous n'avez pas le choix, mes amis ! leur
chuchote Nicodème. Il faut prêter serment.

– Mais… je ne veux pas me faire pirate !
s'indigne le jeune aventurier.

– Je sais, nous non plus ! Mais, pour l'instant, on
n'a pas le choix, dit tout bas monsieur Colas en se
dirigeant vers l'endroit où se trouve le capitaine
Laterreur.

Celui-ci s'est fait installer, sur la plage de sable
fin, un magnifique trône de chêne, incrusté de
pierreries.

– Il a dû voler ce siège sur un bateau espagnol,
murmure le garçon en s'approchant à son tour.

Un pirate oblige Morgan, Agénor, monsieur
Colas, Nicodème et Fée Des Bêtises à se mettre
à genoux devant le capitaine. Puis, de sa voix
tonnante, celui-ci prononce les paroles du
serment que les cinq compagnons doivent
répéter à haute voix :

—Je jure d'obéir aux ordres du capitaine Laterreur. J'aurai le droit de me servir des provisions à ma faim. Si je cherche à dérober le butin d'un autre pirate, j'aurai les oreilles coupées et on m'abandonnera sur une île déserte…

La voix de Morgan tremblote d'effroi tandis qu'il répète les paroles du capitaine; celle de ses compagnons est plus ferme.

—Si je déserte le navire pendant un combat, je serai puni de mort. Il m'est interdit de renoncer à mon serment et de rependre une vie honnête…

La voix de Morgan s'enraie alors qu'il doit dire ces derniers mots. Il jette un coup d'œil à ses amis qui les récitent sans broncher.

—Voilà! Dites encore: « Je le jure » et vous serez de vrais pirates! conclut le capitaine en se levant de son siège pour aider les nouveaux membres de son équipage à se remettre debout.

Le garçon ne se sent vraiment pas très bien. Le voilà flibustier. Il se dit qu'il est peut-être arrivé la même chose à Joffrey et que c'est pour cela que monsieur Colas l'a vu en pirate.

—Faites que je retrouve mon calepin et que Fée puisse nous renvoyer tous les trois chez nous! prie-t-il tout bas en regagnant son tas d'agrumes, la tête basse et les pieds traînants.

– Nous allons à la chasse ! déclare tout à coup monsieur Colas, un fusil dans la main.

Avant de s'éloigner, il adresse un discret clin d'œil au jeune aventurier.

– Msye Colas pare yon bagay ! souffle Agénor. Paré pou décamper[28] !

Fée Des Bêtises vient les rejoindre avec un grand panier d'osier. Alors qu'elle y dépose les citrons pelés, elle se penche vers eux.

– Dans cinq minutes, on part vers la plage. Les marins de monsieur Colas vont nous faciliter la tâche. Ils vont rester avec les pirates pour les empêcher de nous courir après, si c'est possible. Levez-vous tranquillement et allons distribuer les fruits aux matelots.

Morgan et Agénor obtempèrent aussitôt. Ils se lèvent et s'approchent des malades. Ils leur tendent des citrons, des mangues et des corossols.

Soudain, un coup de feu retentit au loin.

– C'est le signal. Vite ! dit Fée en saisissant les deux enfants par la main.

À peine arrivés au bord de l'eau, ils voient une **yole** venir vers eux. Monsieur Colas en manie fermement les avirons.

---

28. Monsieur Colas prépare quelque chose ! Tiens-toi prêt à décamper !

Morgan, Agénor et Fée s'élancent et montent dans la petite embarcation. Adroitement, monsieur Colas parvient à manœuvrer pour s'éloigner de la grève en faisant en sorte que le *Poséidon* masque leur fuite.

– Nicodème a trouvé un endroit parfait pour nous cacher. Dans la **mangrove**, de l'autre côté de l'île. C'est un vrai labyrinthe.

– La mangrove ?! s'étonne Morgan.

– C'est un marais. Mais le plus important, c'est que c'est un marais plein de palétuviers. Tu sais ce que c'est, un palétuvier ? continue monsieur Colas en **souquant** ferme.

– Euh… non ! avoue le garçon.

– C'est un grand arbre dont les racines sont aériennes et parfois énormes, et il pousse dans les mangroves. Et ces racines vont nous servir de cachette.

– Bravo ! crie Agénor en battant des mains. Byen jwé, Msye Colas[29] !

– Je ne me sens pas très fier de moi ! avoue Morgan. On a fait un serment et on ne le respecte pas.

---

29. Bien joué, monsieur Colas !

– Écoute, un serment fait sous la contrainte n'est pas valable! lui dit Fée Des Bêtises. Nous n'avions pas le choix. Des fois, on a le droit de mentir…

– … quand c'est pour sauver sa vie! complète monsieur Colas. Tenez, voilà la mangrove! Baissez vos têtes!

Pendant vingt minutes, la yole se faufile tant bien que mal à l'intérieur du marais. Puis les quatre amis en descendent. Ils font glisser leur embarcation sous des racines, là où personne ne risque de la découvrir. Ensuite, sautant de racine en racine, ils s'enfoncent un peu plus sous les palétuviers. Un cri retentit.

– C'est Nicodème! Par ici! indique monsieur Colas.

Brusquement, Nicodème est devant eux. Ils ne l'ont pas entendu venir.

– Je nous ai construit une petite cabane entre deux gros arbres. Et la chasse a été bonne! ajoute-t-il, les yeux brillants.

Les cinq compagnons pénètrent dans un abri aménagé avec des branches de palétuviers et des feuilles de palmiers. Dans un coin, Morgan voit quelques pigeons, une grosse tortue et même un cochon sauvage.

– Voilà de quoi nous préparer un bon gueuleton! s'écrie fièrement Nicodème qui déjà s'affaire à allumer un feu pour rôtir ses prises.

Bientôt, un agréable **fumet** envahit la cachette et les fait saliver.

– Bon! Comment allons-nous retrouver Joffrey, maintenant? s'inquiète le garçon en mordant à belles dents dans un pigeon grillé.

– Et si on volait le *Poséidon*? suggère Nicodème, le jus de sa côtelette de cochon dégoulinant dans sa barbe blanche.

– Impossible! fait monsieur Colas. Nous ne pourrons jamais le remettre à l'eau seuls, et nos marins n'arriveront pas à empêcher les pirates de nous attraper. Ils sont trop peu nombreux.

– Yo fè yon gwo dife sou plaj yo pou yo rele o sekou[30]! propose Agénor.

– Les pirates vont le voir! répond Fée.

– Si monsieur Flag nous met la main dessus, on est cuits cette fois! reconnaît monsieur Colas.

– Le mieux, c'est d'attendre, enchaîne Nicodème. Il va bien finir par se présenter une

---

30. On fait un grand feu sur la plage pour appeler au secours!

occasion ! Il y a suffisamment à manger sur cette île. On peut pêcher des langoustes, ramasser des œufs de tortues. Et puis, y a plein de cochons sauvages, des pigeons, des patates douces, des fruits variés. C'est le paradis des cuisiniers !

Le feu dessine maintenant des ombres sur leurs visages. Déjà, le soleil a plongé dans la mer. Les cinq amis se mettent à se confectionner des couches confortables avec les feuilles de palme qu'a apportées Nicodème. Les conversations se poursuivent encore un peu, mais un à un ils sombrent dans un profond sommeil.

C'est le roulement des vagues qui les réveille, très tôt le lende-main matin. Nicodème fait griller des bananes pour le petit-déjeuner. Avec du lait de coco et des mangues, voilà de quoi tenir jusqu'au prochain repas.

Morgan a bien envie d'aller explorer l'île. Fée et Agénor aussi. Une expédition s'organise. Monsieur Colas ouvre la marche, Nicodème la ferme, chacun armé d'un bon fusil, sur ses gardes.

Les aventuriers quittent la mangrove. Ils avan-cent lentement, se courbant dans les endroits à découvert. Ils admirent la flore qui déploie ses plus beaux atours. Tout est si beau que Morgan souhaite presque rester ici toute sa vie. Il surprend même un colibri en train de faire sa danse autour des grappes jaunes d'un **acacia**.

– Quel paradis! s'exclame Fée en s'appuyant au tronc d'un arbre, pour reposer ses vieilles jambes qui commencent à être bien fatiguées par cette randonnée.

– Attention! crie Nicodème en se précipitant vers elle.

– Aïe! ouille! hurle soudain la magicienne en bondissant sur ses pieds.

Sur son bras gauche dénudé, une affreuse brûlure apparaît.

– Vite, de l'**aloès**! ordonne monsieur Colas. La sève du **mancenillier** est **vénéneuse**. C'est horriblement douloureux.

Agénor parvient à arracher une feuille d'aloès. Nicodème se charge d'en extraire un peu de jus et de l'appliquer sur la blessure de Fée qui hurle toujours de douleur. Morgan lui tient les mains pour l'empêcher de se gratter.

Après quelques minutes, enfin, la sensation de brûlure s'atténue.

– Oh là là ! Merci, mes amis ! souffle la magicienne qui se remet à grand-peine de ses émotions.

– Eh bien, notre petit paradis cache de drôles de pièges ! lance Morgan en regardant le mancenillier d'un œil mauvais.

– Allons nous reposer ailleurs, propose monsieur Colas en ramassant les fusils.

Tout à coup, Nicodème fait signe à ses compagnons de se jeter à terre. Des voix leur parviennent, portées par une petite brise qui souffle du nord. Les pirates !

– Ils vont à la chasse ! affirme Morgan.

– Oui, à la chasse aux fuyards, si tu veux mon avis ! réplique monsieur Colas.

– C'est nous qu'ils recherchent, confirme Nicodème. Chut ! ajoute le vieil homme en posant un doigt sur ses lèvres.

– Par ici, les amis ! Y a plein de mangues ! crie une voix jeune et pleine d'entrain.

– Hé ! mais…, fait Morgan en se redressant, je reconnais cette voix… C'est…

Alors qu'il est sur le point de crier le nom de son ami Joffrey, la forte main de monsieur Colas se pose en bâillon sur sa bouche. Le garçon se débat.

– Arrête ! lui ordonne monsieur Colas à l'oreille. C'est peut-être ton ami, mais n'oublie pas qu'il est avec des pirates maintenant.

– Mais…, bredouille le garçon entre les doigts de monsieur Colas.

– Il a raison ! intervient Fée Des Bêtises. Observons ce qui se passe avant de nous découvrir. Ce sera beaucoup plus prudent.

– Tu ne vas pas crier ? demande monsieur Colas en desserrant sa prise.

L'enfant fait non de la tête. Agénor lui agrippe la main et lui sourit.

– Prale jwenn zanmi talè[31] !

– Attention, les voici ! prévient Nicodème.

Les cinq fuyards se glissent dans un bosquet d'hibiscus. Ils ont juste le temps de s'y tapir. Joffrey et deux flibustiers apparaissent entre les cocotiers.

– Miam ! J'ai faim ! dit Joffrey.

Sur son épaule, il porte une large **gibecière** d'où s'échappent des plumes colorées d'oiseaux tropicaux. Un des pirates qui l'accompagnent porte délicatement quelques œufs de tortues, tandis que l'autre a enfilé des poissons sur une

---

31. Tu vas bientôt retrouver ton ami !

tige qu'il tient en travers de ses épaules. La chasse et la pêche ont été bonnes.

– Cap'taine Dents de fer ! s'écrie alors un des pirates. Connaissez-vous le nom de ces plantes ?

D'un large geste de la main, il désigne le bouquet d'hibiscus où Morgan et ses amis tremblent d'être découverts.

– Euh… bien sûr ! Ce sont des collollosis ! déclare le garçon d'un air très sûr de lui.

Morgan plaque une main sur sa bouche pour ne pas éclater de rire. Décidément, son copain n'a pas changé. Quand il ne sait pas, il invente n'importe quoi.

Joffrey se désintéresse vite de ses « collollosis » et se dirige à grandes enjambées vers la plage, en contrebas.

– Il a une drôle de façon de marcher ! pouffe Morgan en regardant son ami s'éloigner.

– Il imite les capitaines de bateau ! se moque monsieur Colas.

– On appelle cela une belle démarche **chaloupée** ! indique Fée.

Nicodème se lève et imite la démarche de Joffrey. Mais ses pieds nus s'enfoncent dans le sable mou et il s'étale de tout son long. Tout le monde se met à rire.

– Eh bien, au moins, on sait qu'il va bien! déclare la magicienne.

– Et si on faisait comme eux? Il faudrait aller pêcher pour faire quelques réserves, propose monsieur Colas.

– Mwen manje byen woma[32]! décrète Agénor.

– D'accord, allons-y pour la langouste! approuve Nicodème.

Ils s'en vont eux aussi vers la plage, mais en prenant bien soin de ne pas atterrir au même endroit que Joffrey et sa bande.

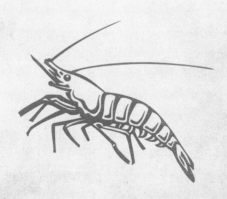

32. Je mangerais bien des langoustes!

CHAPITRE 8

Cachés au sommet d'un morne, bien protégés par des hautes herbes, Morgan et ses amis surveillent le camp pirate. Un joyeux tintamarre s'en élève. Les flibustiers chantent à tue-tête. Et qui fait le chef d'orchestre ? Joffrey, bien sûr !

Il est là à gesticuler comme un maestro avec sa baguette. Le jeune aventurier n'en croit pas ses yeux et surtout pas ses oreilles. C'est la cacophonie la plus totale dans le camp.

Puis, le silence revient. Les pirates reposent leurs instruments. Et voilà que certains d'entre eux s'assoient bien sagement en rang devant Joffrey. Celui-ci est maintenant juché sur une souche d'arbre. Une bourrasque apporte des bribes incroyables aux oreilles des guetteurs.

– Un plus… égale… ! Rép… près moi ! ordonne la voix autoritaire de Joffrey.

– Oh non, c'est pas vrai ! fait Morgan, éberlué.

– Je crois bien que si ! rétorque Fée Des Bêtises, elle aussi ébahie.

– Ki sa l'te fè[33] ? demande Agénor, intriguée.

– L'école ! ricane le garçon. Il leur fait la classe !

– Regardez, regardez ! s'écrie Nicomède, mort de rire. Un pirate qui lève le doigt pour répondre, comme un enfant !

– Eh bien, on aura tout vu ! s'exclame monsieur Colas qui n'en revient pas non plus.

– Approchons-nous pour écouter !

À la file indienne, ils se glissent vers le camp en prenant bien soin de se dissimuler.

– Alors, mes petits pirates, dites-moi quelle est la plante qui continue de pousser même une fois qu'on l'a écrasée ? lance Joffrey.

Les flibustiers se regardent les uns les autres sans rien dire. Fée Des Bêtises se gratte la tête, monsieur Colas fronce le nez, Nicodème questionne le ciel des yeux, et Agénor se frotte le front. Tout le monde cherche la réponse.

– Pfuitt ! elle est vieille, celle-là ! souffle Morgan. C'est la plante des pieds, évidemment !

Comme les pirates ne répondent pas, Joffrey leur donne la réponse.

Les hommes s'esclaffent.

---

33. Qu'est-ce qu'il fait ?

– Je vous l'avais dit, murmure Morgan.

– Bon, voyons si vous pouvez résoudre cette charade, poursuit Joffrey, toujours d'un ton de professeur. Mon premier est le meilleur, mon second est plus que beaucoup, mon troisième est un signe de musique et mon tout adore être dans la lune.

Les pirates le dévisagent d'un air totalement ahuri, mais aucun ne bronche. Visiblement, ils n'ont pas la moindre idée de la réponse.

Monsieur Colas et Nicodème se sont pris au jeu. Ils tentent de trouver la solution de leur côté.

– Mon premier est le meilleur ! « As », c'est un as ! jubile monsieur Colas.

– Mon second est plus que beaucoup ! Euh… « assez » ! Non, voyons… Euh… « énorme » ! Non ! Ah, je vois : « trop » ! C'est ça, « trop » !

Morgan hoche la tête chaque fois qu'un de ses amis trouve un des mots qui composent la charade.

– Et le troisième est employé en musique… Alors, « do », « ré », « mi », « fa », « sol », « la », « si »…, propose monsieur Colas.

Mais Morgan fait non de la tête.

– « Note » ! s'exclame Agénor.

– Braaaa…

Emporté par son enthousiasme, Morgan a crié.
Le silence se fait dans le camp pirate, juste en bas
de la colline. Heureusement pour les fuyards, un
oiseau passe à ce moment-là au-dessus des flibustiers en piaillant : brâbrâbrâ.

– Ouf ! lâche Morgan. Oui, c'est ça, « note » ! Et
les trois ensemble donnent « quelqu'un qui adore
être dans la lune ».

– Alors, voyons, cela fait « as-trop-note » !
Qu'est-ce que ça veut dire, « as-trop-note » ?
demande Nicodème en détachant les syllabes.
C'est idiot comme mot !

– Ça n'a aucun rapport avec la lune ! renchérit
monsieur Colas.

Morgan est bien embêté. Comment expliquer
à ses amis qu'au vingtième siècle, des hommes
ont marché sur la Lune et qu'on les appelle des
astronautes ?

– Euh… c'est une autre histoire, ça. Je vous expliquerai plus tard ! Revenons à nos moutons. Il faut kidnapper Joffrey.

Lorsqu'il regarde de nouveau le campement, Morgan voit que son copain est justement en train d'expliquer aux forbans ce qu'est un astronaute. Ceux-ci ne semblent pas très convaincus. Certains se lèvent en haussant les épaules ; d'autres se frappent la tête en disant à Joffrey qu'il est complètement fou. Bref, la classe est finie. Le jeune capitaine se retrouve tout seul, les bras ballants.

– C'est le moment ! murmure Morgan.

Il avance à pas lents.

Joffrey descend de sa souche et s'éloigne du camp ; il semble déçu du comportement de ses « élèves ».

– Joffrey ! chuchote Morgan.

Le garçon lève les yeux. Son regard s'accroche à celui de son ami. Ce dernier pose un doigt sur ses lèvres pour lui imposer le silence et lui fait signe d'approcher.

Le jeune capitaine jette un œil derrière lui. Aucun pirate ne lui prête la moindre attention. Il se dirige vers son copain, avec un petit air satisfait.

– Salut, vieux ! Alors, ça va comme tu veux ?

– Chut, pas si fort ! lui ordonne Morgan en l'entraînant à l'écart. As-tu ton carnet ?

– Euh… ah, Fée est avec toi !

Joffrey fouille dans ses poches et en sort son précieux calepin.

– Tiens ! dit-il en le tendant à son copain. Alors, dis-moi, aimes-tu ça, ici ?

– On a une bande de pirates aux fesses ! Il faut filer, lui répond Morgan en le tirant vers le haut de la colline où sont planqués ses amis.

– Toi, peut-être, mais pas moi ! Je suis le capitaine Dents de fer, déclare Joffrey avec un grand sourire qui dévoile son appareil dentaire. Je vais rentrer dans la légende. Bon, j'ai pas encore trouvé Jim Hawkins ni Long John Silver, mais ce n'est qu'une question de temps ! ajoute-t-il en dégageant sa main de celle de son ami.

– Joffrey ! Hawkins et Long John Silver ne sont que des personnages de roman ! Ils ne sont pas réels !

– Qu'est-ce que tu en sais ?! réplique son ami, de mauvaise humeur.

– C'est Fée qui me l'a certifié ! Viens, tu dois la voir ! Après… euh… tu feras ce que tu veux ! le presse Morgan en agrippant la manche de sa veste de velours.

Joffrey hésite un moment. Il jette un coup d'œil vers les pirates qui ne font toujours pas attention à lui.

– Oui, bien sûr.

– Vite ! Fée a besoin de récupérer ses pouvoirs.

Les deux garçons se rendent à l'endroit où se trouvent Fée, Agénor, monsieur Colas et Nicodème. Morgan fait les présentations, puis très vite, il demande à Joffrey de prononcer une expression détournée :

– On ne dit pas un chalet, mais plutôt un minet moche* ! lit Joffrey dans son carnet.

Immédiatement, les lettres MINET MOCHE défilent devant eux, et Fée des Bêtises commence à reprendre son apparence de capitaine. Comme

UN CHALET : un chat laid

chaque fois que la mendiante se métamorphose en fée sous leurs yeux, les enfants sont fascinés. Monsieur Colas et Nicodème, eux, **se signent** à qui mieux mieux, tandis qu'Agénor marmonne des phrases incompréhensibles où un mot revient inlassablement : « marabout ».

Mais lorsque le perroquet apparaît, Joffrey ne peut retenir un fou rire énorme. Et le fou rire, tout le monde sait ça, c'est contagieux. Aussitôt, Morgan s'esclaffe, suivi de monsieur Colas, de Nicodème et finalement d'Agénor elle-même qui continue cependant à rouler des yeux inquiets.

– Bon, ça va, ça va ! tonne la magicienne en faisant mine de partir.

– Fée ! la rappelle Morgan. Reviens, on arrête de rire !

Mais un hoquet le secoue toujours. Elle le regarde, puis laisse ses amis la rejoindre.

– Regagnons notre camp ! commande-t-elle. Nous devons penser à ce que nous allons faire maintenant que nous avons retrouvé Joffrey.

Nicodème est le premier à lui obéir. Il ouvre des yeux étonnés, mais aussi éperdus de bonheur. Le vieux cuistot serait-il tombé amoureux ?

– C'est que…, commence Joffrey qui regarde derrière lui, hésitant entre suivre ses amis et rester avec les pirates.

Mais Morgan le pousse devant lui en lui disant :

– Avance ! Ta place est au vingt et unième siècle, pas ici !

De retour à leur campement, Morgan et Fée tentent de convaincre leur ami de rentrer avec eux, et songent à des moyens de sortir de cette île. Il faut aussi décider du sort de la petite fille.

– Agénor ! Mais où est-elle ? s'inquiète brusquement Morgan.

– Je l'ai vue s'éloigner il y a quelques minutes, sûrement un besoin pressant, le rassure Joffrey.

Brusquement, un hurlement retentit.

– Les pirates ! crie Morgan en bondissant sur ses pieds.

– Une bête sauvage ! fait Joffrey en se relevant.

– Agénor ! s'exclame monsieur Colas.

Ils se ruent tous à l'endroit d'où est venu le cri. C'est la fillette qui a hurlé. Elle se tient la jambe. De grosses larmes bondissent sur ses joues noires. La douleur tord son visage.

– Koulèv ! Koulèv[34] !

Elle s'évanouit.

Monsieur Colas la soulève délicatement. Le front d'Agénor est trempé de sueur. Nicodème se penche sur la jambe de la fillette et l'examine.

– Ce n'est pas une piqûre de serpent ! C'est une morsure de scolopendre ! C'est tout aussi dangereux.

– Scolopendre ? s'étonne Joffrey.

– C'est un mille-pattes, mais venimeux. Elle peut en mourir, explique Nicodème en sortant son coutelas.

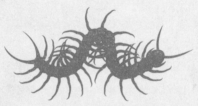

La main de Fée Des Bêtises le retient alors qu'il s'apprête à entailler la jambe pour en faire couler le venin.

– Pas la peine !

La magicienne se penche sur la petite fille et pose sa main sur sa jambe et sur son front. Après quelques secondes, elle se relève.

---

34. Serpent ! Serpent !

– Voilà, c'est fini ! Le venin a disparu ! Heureusement que nous avons retrouvé Joffrey et son carnet pour me rendre mes pouvoirs, sinon je n'aurais rien pu faire pour la sauver.

À ces mots, Joffrey est tout retourné. C'est vrai qu'en ce siècle de piraterie, la médecine, ainsi que tant d'autres techniques, ne sont pas très avancées.

– Hum ! je reste avec vous ! J'ai pas envie de mourir d'une piqûre de scolopendre, déclare-t-il.

Cette nouvelle fait bien plaisir à Morgan. Mais un râle le rappelle brusquement à la réalité. Agénor ouvre les yeux, étonnée d'être allongée.

– Ki sa m'ap fè la [35] ? demande-t-elle.

Puis elle se souvient. Elle jette un regard sur sa jambe. Rien. Aucune trace de blessure.

– Koulèv [36] ?

– Ne t'inquiète pas, c'est fini, la rassure la fée. Tu es guérie !

L'ancienne esclave lui sourit et s'assoit.

– Voilà ce que je vous propose ! lance Fée Des Bêtises. Grâce à mes pouvoirs, je peux vous transporter où vous voulez. Il suffit de me dire où vous souhaitez aller. Agénor, je pense que tu aimerais retourner au Afrique, près de ta famille.

---

35. Qu'est-ce que je fais là ?

36. Serpent ?

La petite fille hoche la tête. Quel bonheur ce serait de revoir son papa, sa maman et son petit frère, dans leur village au bord de la mer au Sénégal !

— Et vous, les corsaires ? Où voulez-vous aller ? lance Morgan à monsieur Colas.

— Nous sommes originaires de Saint-Malo, donc ce serait bien de revoir nos remparts ! soupire Nicodème.

— Bon ! C'est d'accord. Agénor, j'ai besoin d'un jeu de mots.

Joffrey lui tend son carnet, mais constatant que la fillette ne sait pas lire, il lance :

— Que doit-on prendre quand on se fait attaquer ?

— Yon baton[37] ? répond-elle.

— Non la fuite ! fait-il en rigolant.

Dès que Joffrey termine la blague, le corps d'Agénor devient transparent, puis disparaît. Monsieur Colas et Nicodème jettent des coups

_____

37. Un bâton ?

d'œil suspicieux tout autour d'eux. Ils ne sont pas peureux, mais quand même…

– Ne vous en faites pas ! dit Morgan. Bientôt, vous serez chez vous ! Dites simplement à Fée quelles sont les deux plus vieilles lettres de l'alphabet.

Les deux hommes se dévisagent sans comprendre, mais heureusement, Joffrey leur souffle la bonne réponse qui se trouve dans son carnet :

– A G !

– ÂGÉ ! reprennent en chœur les deux hommes, qui ont vite compris.

Aussitôt, les lettres sortent du calepin, et voilà les deux corsaires qui s'éclipsent.

Soudain, des cris s'élèvent tout autour d'eux. Les pirates ont retrouvé leur trace. Il n'y a plus de temps à perdre.

– À nous, maintenant ! lance Fée Des Bêtises.

– FÉE… DES VAGUES* ! lisent ensemble

FÉE DES VAGUES :
de l'expression « faire des vagues », provoquer de vives réactions

Morgan et Joffrey au moment où monsieur Flag, les ayant découverts, fonce vers eux en levant son cinglant chat à neuf queues.

Les lettres oscillent en formant des vagues devant eux. Une fraction de seconde plus tard, les trois amis se retrouvent coincés à l'intérieur de la grosse malle, dans leur cabane. Ils se débattent pour en sortir, mais sont bien trop serrés pour y parvenir sans aide.

Heureusement, le cours de gymnastique de Jenny est terminé et elle ouvre la porte de leur repaire à ce moment précis.

Elle leur donne vite un coup de main pour qu'ils s'extirpent de leur fâcheuse position, sans oublier de les questionner sur leurs nouvelles aventures.

Ils en ont tant à raconter que leur récit occupe le restant de leur après-midi de congé.

– fIN –

LEXIQUE

CHAPITRE 3

AGOUTI (un) : petit rongeur des Antilles de la taille d'un lièvre.

BLANC-BEC (un) : jeune homme sans expérience et pourtant sûr de lui.

CATOGAN (un) : chignon bas sur la nuque.

CHICOT (un) : dent cassée et cariée.

DAMAS (un) : tissu de soie ou de laine satiné.

FAQUIN (un) : impertinent.

FLIBUSTIER (un) : pirate de la mer des Antilles.

FORBAN (un) : individu malhonnête, bandit, filou.

HIBISCUS (un) : fleur tropicale.

JACTER : parler, jacasser.

MARAUD (un) : coquin.

MARSOUIN (un) : mammifère ressemblant à un dauphin (ici : guignol, idiot).

RUFIAN (ou RUFFIAN) (un) : aventurier, homme sans scrupules.

TRÉTEAU (un) : Pièce de bois, longue et étroite, portée à chaque extrémité par deux pieds obliques, servant à soutenir une table, une estrade, etc.

CHAPITRE 4

ANSE (une) : petite baie peu profonde.

BATISTE (une) : toile de lin très fine.

BRIGANTIN (un) : navire à deux mâts, très rapide.

COROSSOL (un) : fruit tropical jaune dont la pelure est parsemée de pointes.

GRENADE (une) : fruit juteux de la grosseur d'une pomme, renfermant des pépins entourés d'une pulpe rouge à saveur aigrelette.

GOYAVE (une) : petit fruit très sucré.

JABOT (un) : ornement de tissu plissé sur le devant d'une chemise.

MORNE (un) : petite colline arrondie des Antilles.

PAPAYE (une) : fruit ressemblant à un gros melon ovale.

SABORD (un) : ouverture dans la coque, où passe la bouche des canons.

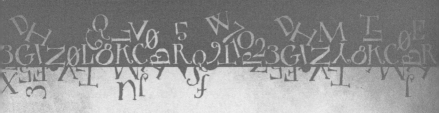

CHAPITRE 5

ALIZÉ (un) : vent tropical.

ESCADRE (une) : force navale composée de plusieurs navires.

ESQUIF (un) : petite embarcation très légère.

FER (un) : chaîne pour attacher les prisonniers.

GAILLARD d'avant (un) : structure avant sur le pont d'un navire.

GRÉEMENT (un) : ensemble des cordages et des poulies servant à la manœuvre des voiles.

GOSIER (un) : partie intérieure de la gorge.

LAGON (un) : étendue d'eau fermée au large par un récif de corail.

MÂT DE MISAINE (un) : mât vertical le plus en avant d'un navire.

NID-DE-PIE (un) : poste d'observation en haut d'un mât.

PALETOT (un) : vêtement assez ample, arrivant à mi-cuisse, boutonné sur le devant.

SLOOP (un) : navire rapide à un seul mât.

TUNIQUES ROUGES (les) : nom donné aux soldats anglais, dont la veste d'uniforme était rouge.

VIGIE (une) : homme chargé de surveiller la mer.

CHAPITRE 6

BOUCANIER (un) : Pirate, aventurier.

ÉBÈNE (un) : bois noir très dur ; couleur noire.

FARAUD (un) : fanfaron, prétentieux.

TINTOUIN (un) : vacarme.

TINTAMARRE (un) : Ensemble de bruits assourdissants, discordants.

CHAPITRE 7

ACACIA (un) : plante dont les fleurs jaunes forment des grappes.

ALOÈS (un) : plante dont le jus (suc) peut apaiser les brûlures.

CHALOUPÉE (adj.) : démarche dansante de ceux qui ont l'habitude de marcher sur des bateaux en mouvement.

FUMET (un) : odeur agréable dégagée par la cuisson de certaines viandes.

GIBECIÈRE (une) : sac de cuir servant à transporter le gibier.

MANCENILLIER (un) : arbre à la sève très vénéneuse, qui brûle ; aussi appelé « arbre-poison », « arbre de mort ».

MANGROVE (une) : formation végétale des régions côtières tropicales.

SACRIPANT (un) : Voyou, bandit.

SOUQUER : tirer sur les avirons, ramer.

VÉNÉNEUSE : qui contient du poison.

YOLE (une) : embarcation légère et élancée, très manœuvrable.

CHAPITRE 8

SE SIGNER : faire le signe de la croix.

Transcontinental
IMPRESSION
IMPRIMERIE GAGNÉ

2011